CONFIDENCES DE PRISONNIERS

Catalogage avant publication de Bibliothèque et Archives nationales du Québec et Bibliothèque et Archives Canada

Vedette principale au titre:

Confidences de prisonniers

ISBN 978-2-89646-274-2

1. Prisonniers – Québec (Province) – Montréal – Citations. 2. Prisonniers – Québec (Province) – Montréal – Vie religieuse. I. Jean, père, 1940-   .

HV9509.Q4C66 2012   365.6092'271428   C2011-941721-9

Dépôt légal – Bibliothèque et Archives nationales du Québec, 2012
Bibliothèque et Archives Canada, 2012

Révision: Pierre Guénette
Transcription: Monique Deschênes, Maxime Bélanger
Illustrations: © Shutterstock
Mise en pages et couverture: Charles Lessard
Photo de la couverture: © Crestock

© Les Éditions Novalis inc. 2012

Nous reconnaissons l'aide financière du gouvernement du Canada par l'entremise du Fonds du livre du Canada (FLC) pour des activités de développement de notre entreprise.

Cet ouvrage a été publié avec le soutien de la SODEC. Gouvernement du Québec – Programme de crédit d'impôt pour l'édition de livres – Gestion SODEC.

4475, rue Frontenac, Montréal (Québec) H2H 2S2
C.P. 990, succursale Delorimier
Montréal (Québec) H2H 2T1
Téléphone: 514 278-3025 ou 1 800 668-2547
sac@novalis.ca • novalis.ca

Imprimé au Canada

Offert en version numérique
978-2-89646-852-2
novalis.ca

PÈRE JEAN

CONFIDENCES
DE PRISONNIERS

NOVALIS

À Félix Danis, mon petit-fils
À tous les sans-voix, les exclus, les blessés de la vie
À tous ceux et celles qui rêvent de justice et de liberté

Car j'ai eu faim et vous m'avez donné à manger,
j'ai eu soif et vous m'avez donné à boire,
j'étais un étranger et vous m'avez accueilli,
nu et vous m'avez vêtu,
malade et vous m'avez visité,
prisonnier et vous êtes venus me voir.

Matthieu 25, 35-36

Introduction

Depuis mon arrivée à la prison de Bordeaux, le 31 janvier 1969, j'ai entretenu une correspondance avec des personnes prévenues (en attente de procès) et détenues, que j'ai connues personnellement[1].

Au cours des années, j'ai conservé précieusement un millier de lettres, de poèmes, de chants, de témoignages et de notes personnelles. Sans attente d'un bénéfice personnel, mais en toute liberté et gratuité. Mes correspondants me faisaient part de leurs joies, de leurs détresses, de leurs espérances, de leurs désespoirs, de leur foi, de leur profond désir d'amour, de liberté, de justice, de paix et de bonheur. Cette correspondance devenait pour eux un exutoire, un moment de liberté. C'est le mystère de chaque vie qui m'était dévoilé.

J'ai aussi été frappé par la gratitude qu'ils exprimaient et leur désir que nous puissions garder contact, ce qui pour certains demeurait le seul lien humain qu'ils avaient, n'ayant plus ni famille ni amis.

Ce que je présente ici n'est qu'une infime partie de la montagne de documents que j'ai conservés. La lecture de cette correspondance vous permettra, je l'espère, de découvrir le visage caché d'hommes blessés dans leur âme[2]. Je tiens à remercier le comité de lecture qui m'a permis de réaliser ce livre. Sans lui, il m'aurait été nécessaire de prendre des mois pour lire tous ces documents.

Père Jean — Juin 2012

---

1. Pour préserver l'anonymat des personnes, la majorité des noms et prénoms ont été changés.
2. Les lettres ont été transcrites à l'identique pour garder le style et le langage utilisé par les détenus : la révision n'a porté que sur leurs présentations.

Alain

Il a trente ans lorsque je le rencontre. Par sa poésie vibrante,
il dénonce les injustices et exprime souvent son mal de vivre,
tout autant que ses espérances et ses amours.

Bordeaux

Bordeaux
Pire que les barreaux
Il y a la vieille peinture sale qui s'écale
Jointe à des tuiles usées, brisées
Qui décollent les dalles
C'est le décor de Bordeaux

Pire que les barreaux
Il y a les bancs de bois droits
Sans dossier, grafignés de l'anxiété des incarcérés
C'est l'esprit de Bordeaux

Pire que les barreaux
Il y a les colonnes aux coins tordus
Battus de rage
La fatidique image
C'est le résultat de Bordeaux

Pire que les barreaux
Il y a les jeux du cerveau
Comme au cirque pour les animaux
Ce sont les remèdes de Bordeaux

Pire que les barreaux
Il y a la promiscuité des persécutés
Comme du bétail humain dans un zoo
Ce sont les commodités de Bordeaux

Alain — 1985

Noëls en prison — Vincent

Au fil des années, à l'occasion de la messe de Noël, que nous célébrons le 24 décembre en soirée, un détenu de chaque secteur (*wings*) devait composer un texte sur sa vision de la fête de Noël. Ce texte était lu au cours de la célébration de l'eucharistie (la messe). En voici un premier.

Rêves de Noël d'enfant, rêves de Noël de grand

Dis-moi ange gardien, est-ce que le jour de Noël tu prends congé de moi afin de rencontrer le petit Jésus? Dis-moi ange gardien, es-tu prisonnier comme moi en ce jour de Noël? Dis-moi ange gardien, acceptes-tu comme moi d'être emprisonné comme moi en ce Noël 1980? Dis-moi ange gardien, est-ce vrai que si l'on accepte l'injustice on devient complice? Dis-moi ange gardien, peux-tu lire la carte routière afin de trouver le bon chemin qui mène à Jésus en ce Noël divin? Dis-moi ange gardien, puis-je remercier Jésus en ce jour de Noël de t'avoir assigné à moi jusqu'au jour où j'irai Le rejoindre dans son royaume pour l'éternité? Dis-moi ange gardien, penses-tu que Jésus va m'en vouloir d'être en jeans pour le visiter à Noël? Dis-moi ange gardien, dans ton *break*, mettrais-tu un peu de cognac dans ton café en ce Noël?

Que de questions, que de réponses. Noël, Noël, paix sur terre aux hommes de bonne volonté.

Vincent — 1980

Michel

Michel est un être souffrant, incapable de tolérer l'injustice. Il est très croyant, mais également critique envers l'Église et l'hypocrisie qui se vit parfois dans la société. Je l'ai connu alors qu'il était engagé dans les activités pastorales de la prison.

Promesse à mon fils

Tant que je vivrai et que je verrai des enfants souffrir, avoir peur être battus, avoir faim,
JE ME BATTRAI.

Tant que je vivrai et que je verrai des vieillards méprisés, volés, avoir peur,
JE ME BATTRAI.

Tant que je vivrai et que je verrai des femmes, elles qui ont bâti le Québec, qui seront battues, violées, rejetées, opprimées,
JE ME BATTRAI.

Tant que je vivrai et que je verrai des prêtres, des religieuses, des frères accusés injustement,
JE ME BATTRAI.

Tant que je vivrai et que je verrai un sans-abri être méprisé, ridiculisé et vivre dans la peur,
JE ME BATTRAI.

Tant que je vivrai et que je verrai des hommes et des femmes sortir de leurs prisons et avoir peur ou être angoissés,
JE ME BATTRAI.

Et tant que je vivrai et qu'il restera ne cesse
qu'une seule âme abandonnée, souffrante et rejetée,
je demande à Dieu de me donner le courage.
Et jusqu'à ma dernière énergie et jusqu'à
mon dernier souffle,
JE ME BATTRAI ET ME BATTRAI ENCORE.

Et toi, Félix, mon garçon, fasse que dans ta vie,
tout ce que j'ai écrit sois ta préoccupation première.

12 août 2007

Marcel

Condamné à mort en 1962, Marcel est gracié en 1964 et il voit sa sentence commuée en sentence à perpétuité. Après de nombreuses années au pénitencier, il obtiendra une libération conditionnelle. Il deviendra bénévole à l'Oasis-Liberté, lieu de ressourcement humain et spirituel pour la personne ex-détenue. Il décédera d'un arrêt cardiaque en septembre 2009. Il était un homme de parole, capable d'apprécier d'autres hommes de parole.

Mon chemin de croix

Étant condamné à mort en 1962, j'ai vécu un calvaire de souffrances morales qui m'ont tourné vers Celui qui maintenant devenait pour moi un modèle de mort. Lui, l'Innocent, a accepté de mourir pour les péchés des hommes : comment moi, coupable, je n'accepterais pas ma mort ?

Dans mes moments de solitude, dans mes angoisses face à la mort qui s'en venait, je réfléchissais à Jésus lui demandant la force de passer au travers de mon calvaire. Entre temps, j'ai entrepris des démarches auprès du gouvernement fédéral de M. Lester B. Pearson pour être gracié. Le 23 avril 1964, trente-six heures avant l'exécution, j'ai été gracié par le ministre fédéral de la Justice, M. Guy Favreau. Cet homme a toujours dit que tant et aussi longtemps qu'il serait ministre de la Justice, il n'y aurait pas de personne exécutée au Canada. Et il a tenu parole.

Au cours de mes années de détention, j'ai réalisé un *Chemin de croix* fait au petit point. Cette œuvre m'a demandé plus de 5 000 heures de travail. J'ai employé 177 nuances de couleur pour la réaliser. Encore plus de précision, il y a 532 224 petits points pour l'œuvre en entier. Cette réalisation est le chef-d'œuvre de ma vie au pénitencier de saint-Vincent-de-Paul, de mai 1964 à décembre 1964.

Roger

Roger n'avait que vingt-deux ans lorsque je l'ai rencontré. Détenu dans un pénitencier fédéral depuis maintenant plus de trente-neuf ans, il a correspondu avec sœur Marie-Thérèse-de-la-Croix, carmélite de Montréal, jusqu'au décès de cette dernière. Ce qui lui permet de tenir, c'est son espérance et sa foi en Dieu. Il me téléphone toujours régulièrement.

22 janvier 1976

Cher père Jean,

Depuis de nombreux mois sans que je puisse m'en expliquer la raison, j'ai de plus en plus la difficulté à exprimer ma pensée et pourtant je désire énormément communiquer avec les amis qui sont attentifs à mon amitié. Souvent, j'essaie d'étirer le fil de l'encre tout en espérant voir revenir mes idées qui sauraient m'aider à me faire passer l'angoisse qui m'envahit.

Ce n'est pas que je n'ai rien à vous conter, au contraire, j'en aurais même beaucoup à dire ; mais lorsque je me sens en verve une sorte de crainte m'empêche de laisser courir ma plume sur le papier, car il m'est pénible parfois de faire irruption chez ceux que j'aime. J'hésite à venir déranger leur quiétude en apportant avec moi mon bagage de problème, de nostalgie et de tristesse.

Depuis que je suis en institution, je m'efforce de tout mon être pour trouver les moyens et les réponses afin que je puisse mieux vaincre les difficultés auxquelles je fais fasse.

Très souvent, père Jean, je pense à vous et je sais que si je vous écrivais ma lettre lorsque j'en éprouve le besoin, je me sentirais bien moins seul dans ce combat. Combat qui me fait peur des fois, car il fait fuir tous mes moyens et crée le désordre dans mes idées. Pourquoi? Pour la simple et bonne raison qu'on a absolument rien fait ici en institution pour m'aider à m'orienter d'une façon positive et constructive ce combat dont je veux connaître d'heureux résultats.

Roger

21 janvier 1997

Bien cher Jean,

Je profite du moment présent pour venir m'entretenir avec vous. Tout d'abord, je tiens à vous dire que j'ai beaucoup aimé votre jolie et chaleureuse carte de la saison des fêtes. L'amitié que vous me faites toujours preuve ne me laisse pas insensible et je vous assure que l'appui et l'encouragement que vous me communiquez dans votre missive m'aide à surmonter les difficultés que je connais ces derniers temps.

Je ne sais pas ce que j'aurais donné pour avoir le droit d'aller vous voir pendant les fêtes. Toute les portes devraient s'ouvrir à tous les hommes et les femmes pour leur permettre de s'unir ensemble pour célébrer ces belles fêtes et partager toutes les joies qu'elles nous apportent autant au point de vue spirituel que de réjouissances. En effet, vous avez plus que raison lorsque vous exprimez le sentiment «Il y a une grande pauvreté en prison et c'est sans doute là qu'on peut le mieux saisir le vrais sens de Noël.»

Roger

8 décembre 2008

Cher père Jean,

Que ce jour où l'on souligne la naissance de cet être de lumière qu'est Notre Seigneur se déroule sous le signe de la joie, de la paix et de l'amour.

La plus belle des histoires est de celles que l'on peut croire car chaque partie est remplie d'amour infini.

Un amour qui guérit les cœurs brisés et qui réjouit l'âme attristée. Un amour qui libère l'esprit enchaîné et qui donne à chaque être une raison d'exister.

Roger

Alain-Pierre

J'ai connu Alain-Pierre alors qu'il était dans la vingtaine. Il a passé de nombreuses années en prison. Jeune, turbulent, il passait son temps dans le « trou » du secteur A, considéré comme la « prison dans la prison ». Intelligent et artiste, il a aujourd'hui repris une place dans la société et va très bien.

Le 7 novembre 2004

Bonjour père Jean,

Père, ça fait 25 ans que nous nous connaissons. Ma première rencontre avec vous a été au début 1980 dans le trou de l'aile A de la prison de Bordeaux lors d'une prise d'otages. Vous êtes venu me rendre visite. Malheureusement, j'étais dans un piteux état, grâce au traitement que les gardiens m'avaient réservé pour venger leurs chums. [...]

Au pénitencier, je me suis fait violer à au moins quatre reprises par des détenus sans cœur. En sortant du pénitencier, ma vie a basculé pour le pire. Père, je pourrais vous en écrire longtemps des saloperies que la vie m'a infligées. Je ne veux aucunement m'apitoyer sur mon sort, mais c'est la triste réalité de mon existence ici-bas. J'ai été pendant des années un voleur, un prostitué, un drogué, etc. J'ai visité les trois quarts des prisons du Québec, mais aujourd'hui, je fais mon gros possible pour améliorer ma vie. Je ne touche plus à la drogue depuis quatre ans et j'en suis très fier.

D'un fidèle ami,

Alain-Pierre

22 novembre 2004

Bonjour père Jean,

Je n'ai pas vraiment hâte aux fêtes de Noël. Mes raisons sont très simples. C'est que je ne connais presque personne ici à Trois-Rivières et que je n'ai aucune idée du comment les fêtes de Noël vont se passer pour moi. J'ai comme l'impression que je vais rester chez moi à regarder la télé.

Père Jean, c'est triste de passer Noël et le jour de l'An seul chez soi. Des amis, je n'en ai presque pas. J'ai été longtemps dans ma vie à ne faire confiance à personne. Aujourd'hui, je paye pour. [...]

Il y a beaucoup de détenus qui vont pleurer seuls dans leur cellule le jour de Noël et le jour de l'An.

Je vous laisse et je vous porte dans mon cœur pour toujours.

J'attends de vos nouvelles,

Alain-Pierre

13 décembre 2004

Bonjour André,

Merci pour ta carte. Je voudrais te resouhaiter un très beau jour de Noël. Ces temps-ci, je me cherche en tant qu'être humain. Je me pose des questions concernant mon existence ici-bas. Je me dis souvent pourquoi Dieu m'a-t-il donné la vie et c'est quoi mon rôle sur la terre. Suis-je utile sur cette planète de fous? Bien des questions que je n'arrive pas à comprendre.

J'aime me confier à toi, André, parce que je sais que tu me comprends quand mon âme est malade.

Continue ton beau et merveilleux travail.

Salut,

Alain-Pierre

Noëls en prison – Denis

Noël 1978

Je sais que je suis loin de ma femme, de ma famille, de mes amis. Mais ce soir, je ne suis plus seul. J'ai un compagnon de combat. C'est lui qui me donne la force et le courage de traverser l'épreuve de mon incarcération et ce soir, je le fête. Je fête la naissance de sa présence en moi, je fête le jour où je l'ai rencontré. Je fête ce qu'il a transformé en moi.

Pour moi, Noël devient la fête de l'espoir, espoir de savoir que peu importe ce qui m'attend demain, il sera à mes côtés. Jamais il me trahira, jamais il me délaissera.

Je sais que parmi nous, ce soir, il y en a plusieurs qui se refuseront de l'accepter en eux. Ils se diront: «Tout cela n'est qu'un mythe. Si au moins c'était vrai!» Ils auront en quelque sorte la nostalgie de Dieu. À ceux-là je dis: «Qu'avez-vous à perdre? Fermez-vous les yeux et dites: "Seigneur, je sais que je le mérite pas, que ma foi est imprécise, mais je t'en supplie fais quelque chose. Je n'en peux plus, je suis à bout." Laissez, ne serait-ce que pour ce soir, votre orgueil, votre logique et vos théories sur la vie. Faites-vous humble(s) comme cette crèche qui l'a accueilli à Bethléem. Noël prendra pour une fois toute sa signification. Le Christ renaîtra en vous pour partager votre solitude.»

Denis

Jean

Jean a purgé plusieurs sentences. Considéré comme dangereux, il est souvent gardé en réclusion (au trou) du secteur A.
Je le voyais chaque semaine. Il a quitté la prison depuis plusieurs années, et aujourd'hui, il se porte bien.

9 mars 1973

Balade d'un prisonnier

Je suis un homme fatigué
J'ai passé mes plus belles années
Dans ce maudit pénitencier
Non, je ne veux plus jamais y retourner

J'aimerais mieux me faire tuer
Sur le trottoir comme un réprouvé
Que de me laisser encore arrêter
Pour retourner dans ce pénitencier

Vous ne pouvez pas vous imaginer
Tout ce qu'on peut y endurer
Mais mes nerfs ont fini par y craquer
J'ai même tenté de me suicider

Maintenant que je suis sorti
Je mène une vie de gagne-petit
Mais au moins moi j'ai ma liberté
Et je ne suis plus dans un pénitencier

La morale de la chanson
C'est qu'on ne peut pas vivre en prison
Et vous les jeunes petits garçons
Ne faites rien pour aller en prison

Un jour que je traversais une période difficile, Jean me fait parvenir cet acrostiche, sans savoir ce que je vivais. Utilisant les lettres de mon nom il me rappelait le sens de ma vocation en prison.

Jeudi 26 avril 1973

Amour et Charité
Noblesse de cœur et d'esprit
Dieu est ton ami.
Reçois-le comme il se doit,
Élève de celui qui a tant aimé.

Padré des prisonniers et des affligés
Aime-les et soulage-les de leur maux
Trace leurs pas vers celui que tu aimes
Rends-les bons et humbles
Y l est puissant ton ami.

Ceci est mon humble cadeau de Pâques. J'espère qu'il vous plaira. De votre ami Jean qui vous aime et vous estime.

29 mai 1973

Pensées de votre ami Jean

L e bonheur, c'est comme le vent : vous le sentez passer, mais vous ne pouvez lui toucher.

La plupart des hommes qui nient l'existence de Dieu sont pourtant assez stupides pour croire à la fidélité de leur femme.

18 février 1973

Le mur

Ils ont construit un grand mur gris
Couleur de pluie, couleur d'ennui
Un mur de gel, un mur de peine
Un mur de haine et de peur
Et ils ont fait ce qu'ils devaient
À tout jamais, nous séparer.
Ils ont perdu, ils n'ont pas pu
Nous empêcher de nous aimer

Ils ont construit un grand mur gris
Couleur de pluie, couleur d'hiver
Pour nous cacher, nous bâillonner
Nous étouffer et nous faire taire
Ils n'ont pas pu
Ils n'ont pas pu nous empêcher de nous aimer

Ils n'ont pas pu nous empêcher
De le crier au monde entier
Nous empêcher de nous aimer
De le crier au monde entier

Carlito

Membre du monde interlope, Carlito a été tueur à gages et fut condamné à plusieurs années de pénitencier. À sa sortie de prison, il a œuvré comme travailleur de rue auprès des plus démunis et des exclus. Ces expériences ont radicalement changé sa vie. Marié à une femme merveilleuse, il a deux fils et est aujourd'hui totalement réhabilité.

Bonjour mon ami,

Pour moi ça va pas comme je l'espérais.
Les libérations conditionnelles ont retardé ma sortie pour mes études, du moins ce ne sera pour janvier 1988. Je garde toutefois courage et espoir en me remettant dans les mains du Seigneur. Il arrivera sûrement ce qui devrait arriver pour moi.

Carlito

11 janvier 1988

2 : 00 PM
Je viens à l'instant de recevoir la paire de pantoufles que tu m'avais parlé. Merci grandement aux bonnes sœurs carmélites. Tu vois, tout vient à temps ou à point. Me retrouvant un peu «sur le plat» aujourd'hui, je trouvais la journée bien grise. Et voilà que cette charmante paire de pantoufles bien tricotée vient ensoleiller ma fin de journée.

6 : 00 PM
J'aimerais écrire des pages pour te dire ma joie intérieure, ma paix, mais aussi mon trouble, mon incertitude.

Je me bats depuis tellement longtemps, mais tout au fond de moi, je sens cette paix, cet immense feu de braise ardente. Je crois qu'il m'est nécessaire de me dépoussiérer de toutes ces années passées. Mais il est tellement difficile de le faire dans ce climat.

En même temps, je me dis qu'il y en a eu des pires que moi. Je n'ai qu'à penser à ceux qui sont enfermés en Afrique, en Haïti, en Turquie, alors je me rends compte que je me plains pour rien et que je devrais être plus humble et moins exigeant.

Mais il y a cette espèce de révolte en moi que je ne comprends pas parfois, qui me dépasse, qui est aussi pleine de force, force qui me fait être en combat, une espèce de dualité entre mon corps et mon âme, entre la sagesse et la révolte, entre l'amour et la haine. Je vis tout intensément.

Carlito

3 mars 1989

Bonjour André,

Il y a le printemps qui s'en vient. Il y a ce renouveau qui me fascine, cette vie qui revient à chaque fois nous rappeler que nous la possédons aussi cette vie en nous et qu'en cette complicité extraordinaire, en ce début que sera le printemps, les hommes et la nature se font des clins d'œil. Comme pour se rappeler qu'ils sont parents, qu'ils sont de la même famille et qu'à ce titre ils doivent se respecter. Et là je suis gêné de me poser la question : Qu'en ai-je fait de cette vie? Qu'ai-je fait de la Vie de mon parent, la nature? Ne l'ai-je pas piétinée, violée, étouffée, asphyxiée et quoi encore?

Et si, pour me punir, cette année elle ne revenait pas? Si les arbres ne bourgeonnaient pas? Si les lacs demeuraient gelés, la terre infertile? Si les oiseaux de toutes les couleurs ne revenaient pas! Je l'aurais bien mérité après tout : qui serait assez masochiste pour constamment revenir se faire du mal. Masochiste ou amoureuse, il n'y a que ces deux explications qui puissent justifier le retour de la nature à la vie.

Alors au printemps, regardons bien, écoutons bien, sentons de toutes nos narines cette effervescence de bruits, de mouvements et de senteurs incomparables. S'ils sont au rendez-vous encore une fois cette année, c'est que la nature, la vie, est amoureuse : amoureuse de nous sans conditions, sans retenues, sans jalousie ni perversions, sans même se poser de questions.

Cette saison revient simplement nous rappeler que tout comme elle, nous possédons cette vie, cette chaleur au fond de nous et nous ne demandons qu'à renaître, oui à renaître à tous les jours pour remplir les autres de notre vie.

Vive la Vie mon ami!

Carlito

7 novembre 2005

Bonjour André,

J'ai reçu ta magnifique carte de Paris. Chanceux que tu es,
mais tu le mérites bien. As-tu reçu ma lettre où j'ai joint
aussi une lettre d'Yves et une photo de lui avec Jean
Vanier? Tu sais, il est très triste du geste qu'il a posé. Je lui
ai fait part de mon désaccord, mais je ne le juge pas: qui
suis-je pour juger? [...]

L'Homme dans son ignorance a besoin d'avoir peur. Pour
comprendre, il doit s'attendre à un châtiment. De nos jours,
nous n'avons plus peur de rien, tout est permis. Nous
manquons d'humilité. Nous sommes un grain de sel dans
cette mer qui gronde sourdement en son centre. Il y aura
un prix à payer pour afficher cette suffisance. Des hommes
comme David Suzuki et Hubert Reeves lancent des cris,
font des conférences, mais on les prend pour des alarmistes
ou encore des gens qui ameutent. J'ai peur de l'avenir pour
mon fils et pour les autres fils et filles de ce monde. Que
leur laissons-nous?

Je désire retrouver ma famille, les miens. Je n'ai pas d'affaire
ici. Comme mon cas fût médiatisé, et qu'il le sera sans doute
encore, on veut montrer que le service des libérations a
des couilles: mais des couilles envers quoi, envers qui? Se
venger sur un homme qui aura bientôt 65 ans, qui n'a pas
commis de crime depuis 1983, qui a une famille et qui n'est
plus considéré comme dangereux pour la société? Je
pleure de peine, mais pas de pitié, pas d'apitoiement.

Fais attention à toi.

Carlito

28 mars 2006

Bonjour André,

Je t'écris et je signe sous mon ancien numéro de détenu du temps de Saint-Vincent-De-Paul au début 1970. Je portais le numéro XXXX. Ce fut mon premier numéro de détenu et j'avais la cellule 1L11 que je n'oublierai jamais dans le vieux dôme du pénitencier. Nous avions des cellules sans toilettes. On nous remettait le soir en allant chercher notre souper, une chaudière avec de la chaux et de la nuit au matin, nous devions faire nos besoins dans cette chaudière. Au déjeuner, on sortait de la cellule pour aller chercher notre repas avec la chaudière dans une main. Quelle époque!

Tout ce temps passé en cellule à méditer, à rêver et à lire. Que j'en ai lu des livres! J'ai toujours aimé écrire et lire et aujourd'hui, il m'arrive de participer au journal de la prison.

Mon cher André, merci de m'avoir trouvé cet endroit. Je prie le Seigneur qu'il m'accorde son soutien et son aide. Je Lui ai remis cela entre les mains, car je me sens tellement impuissant.

Joyeuses Pâques,

Ton ami Carlito

29 août 2007

Je viens à l'instant de rencontrer France pour le livre qu'elle fait sur toi. Quelle femme merveilleuse. J'ai essayé de décrire ce que j'ai vécu avec toi depuis 1971 lors de ta première visite au trou à Bordeaux. J'attendais de partir pour Saint-Vincent-de-Paul. Ta présence, ton charisme m'avait impressionné et je t'avais tellement trouvé gentil. Mais on oublie des choses en plus de trente-cinq ans. Alors, j'ai tenté de te faire voir comme je te vois. Avec mes mots, mes expressions de visage, mes silences et parfois avec mes larmes aux yeux. [...]

Ce que je me rends compte, c'est que nos souvenirs ne sont pas ceux des autres. Notre réalité nous appartient et nous montre une facette de la vie qui décrit ce que l'on a retenu, mais cela peut être complètement différent pour l'autre. C'est bien ainsi. Nous sommes liés toi et moi par les liens du cœur et du temps.

Je disais à France que je n'ai jamais eu de toi l'image d'un père, mais plutôt d'un frère: mon grand frère. Je profite de cette lettre, même si je te l'ai déjà dit pour te dire merci d'être là.

En ces temps-ci et comme tu le sais, je tente toujours d'aider comme je le peux. Je m'occupe d'un homme d'un certain âge (78 ans) et qui fut sentencié à cinq ans d'incarcération. Il m'avait toujours dit que suite à la mort de sa femme, avec qui il a vécu toute sa vie d'homme, il s'était senti bien seul et avait perdu le contrôle de ses sentiments en ayant des contacts avec des jeunes d'une garderie. Je me suis toujours tenu à cette version des choses sans le juger et tentant de le voir comme si Jésus m'avait demandé de l'aider (ce n'est pas facile).

La semaine dernière, il m'a demandé de l'aider à écrire sa lettre de présentation au commissaire pour l'obtention d'une libération. Alors, je lui ai dit qu'il fallait dire la vérité au commissaire, car ils ont accès aux rapports de police et tout le dossier.

Assis à mes côtés, il m'a tout raconté. Il a eu 1935 abus où attouchements sexuels sur des enfants entre quatre et six ans sur une période de dix ans. André, comme tu le sais, j'ai un fils de quatre ans. J'imaginais mon fils à cette garderie. Je fus et je suis encore très troublé par cette révélation, mais en même temps divisé. Il m'a fait confiance alors il s'est ouvert à moi et d'un autre côté, ses aveux me font terriblement mal au ventre pour tous ces petits enfants qu'il a abusés et salis.

J'ai de la difficulté à voir Jésus en lui. Il ne semble tellement pas conscient du mal qu'il a fait. Je me sens coupable et regrette d'avoir accepté cette confession. Mes épaules étant sûrement trop fragiles pour la supporter. J'ai péché par vantardise, me sentant plus capable que je le suis en réalité. [...]

Je disais à France que nos lettres, nos échanges étaient toujours plus spirituelles que nos rencontres. Ta foi tu l'as vécu dans l'action et tu m'as donné un exemple que j'ai tenté de suivre. La Résurrection, je l'ai toujours vécue ainsi. En donnant de l'amour, en transmettant ce message de Jésus, tu ressuscites son message, mais comme l'un ne va pas sans l'autre, en ressuscitant le message, tu ressuscites le messager, tu ressuscites le Christ.

C'est le chemin le plus difficile et je m'en rends compte ici à tous les jours de par la nature des crimes qui furent commis. Je suis un grain de poussière dans le Sahara de la vie.

Je t'embrasse vieux frère,

Carlito

24 septembre 2007

Bonjour André,

Comment vas-tu ? J'ai médité et offert ma journée à Gilles. Je suis révolté dans mon cœur et dans ma peau ces temps-ci. Je suis revenu à mes photos qui me rappellent la paix, l'amour et la sérénité. Je t'ai fait une photocopie de trois photos qui te parlent de mon séjour de presque trois ans dans cet endroit où j'ai retrouvé mon âme.

Je viens de quitter ma petite famille. Nous avons passé trois jours ensemble à la roulotte : quel merveilleux moment. Mon fils chante tout le temps, c'est un enfant heureux.

Je n'ai pas encore de nouvelles de mon transfert. Je désire tellement gros être libre et aller vivre avec les miens. Je suis triste mais que veux-tu ?

Ton ami Carlito

Fin d'année 2007

André,

En cette fin d'année 2007, je tiens à te faire parvenir
mes vœux pour un Noël d'amour, de paix et de renouveau.
Une naissance nettoie et purifie tout. En cette période
où nous vivons, rien ne peut expliquer les souffrances,
le mal, les tortures de toutes sortes, la destruction, la faim
disons-nous. Nous blâmons souvent la vie, les autres,
Dieu pour ces souffrances et pour ce qui nous arrive.

Nous sommes le problème sur cette terre d'amour et son
origine.

Nous piétinons le sacré.

Carlito

Journal du père Jean – 1

Depuis mon arrivée à la prison de Bordeaux en janvier 1969,
j'ai tenu un journal personnel relatant des rencontres,
des échanges et des événements qui marquaient mes journées
partagées avec mes frères détenus.

13 juin 1973

En discutant avec Jean, il me dit: «Jésus n'était pas un diplomate,
un hypocrite. Lorsqu'il avait quelque chose à dire, il le disait.
Il ne s'est pas gêné pour dire aux pharisiens qu'ils étaient des
hypocrites. C'est un gars qui prenait pas de détours. Si je l'avais
rencontré, je l'aurais aimé ce gars-là. »

Nicodème

Libre maintenant, Nicodème est un poète né. Prolifique, d'une grande et belle sensibilité, il travaillait tout en écrivant sa poésie.

Terre de lumière

Terre de lumière
Terre promise
Lorsque les hommes se réveilleront
Sur un monde où régnera la paix
Lorsque les peuples chemineront
En communion à tout jamais
Et que main dans la main
Nous croiserons l'ineffable source de l'amour

Quand nous souillures s'y abreuveront
Et que nos yeux découvriront la lumière
Un jour loin des guerres, loin des tours,
    loin de l'ivoire
Lorsque sombrera dans l'oubli l'éphémère
Et que nos yeux s'embraseront de l'espoir

Quand nous marcherons dans la lumière
Et que les langages ne seront plus qu'un chant
Quand dévotion signifiera compréhension
Et que dans l'harmonie du Dieu vivant
Nos âmes libérées enfin se retrouveront
Là où le sang n'a pas coulé
Là où du sol on ne l'entend pas crier
Sur une terre qui enfantera des femmes
    et des hommes

Quand refleuriront tous ces fruits
Sauf la pomme
Là où nous illuminera un soleil
Tellement plus réel
Là où sous ses rayons
Resplendira l'éternel

Quand les peuples formeront une grande église
Et que les hommes s'éveilleront en terre promise
Lorsque du ciel apparaîtra la divine promesse
Alors là les hommes verront ce qu'est la sagesse

Quand l'agneau se blottira sous la crinière du lion
Alors en séjour tous réaliseront
Qu'il existe une terre de paix
Plus réelle encore que nos rêves ne l'imaginaient

Un monde sans frontière ni bannière
Sur une autre terre un monde de lumière
Là-bas où tous nous revivront
Proches du Seigneur proches des apôtres
Sur un monde où nous nous aimerons
Les uns et les autres

Nicodème —1993

Gilles

Gilles a eu une enfance difficile. Il a dû fréquenter Boscoville, un centre de rééducation auprès de garçons de 15-18 ans que l'on considérait comme récalcitrants. Alcoolique invétéré, il sera condamné à perpétuité pour le meurtre d'un cuisinier, un soir qu'il était ivre. Ayant aujourd'hui recouvré sa liberté, il a publié un ouvrage *Lueur d'espoir* et il donne régulièrement son témoignage dans les fraternités A.A. (Alcooliques anonymes).

1er mars 1973

Bonjour cher petit père,

J'ai écrit un petit mot à Marie. Imaginez-vous qu'elle m'avait envoyé une carte à Noël et moi ici, je ne l'avais même pas remercié, je ne lui avais même pas écrit. Un vrai sans cœur. C'est que j'étais «gelé» par la sentence à perpétuité que j'ai reçue et que je le suis encore, mais un peu moins qu'au commencement. [...]

Ce n'est pas une vie en prison. On fait seulement qu'exister, on est comme des robots avec cette terrible routine quotidienne. [...]

On a bien apprécié votre visite dernièrement avec le fils du général Vanier, mais si courte hélas.

Bonsoir cher petit père,

J'ai confiance en vous.

Gilles

29 avril 1973

Bonjour père Jean,

C'est terrible faire du temps quand on est en amour,
comme Monique et moi. Une chance que mon ouvrage de
cuisinier m'occupe beaucoup, car je jonglerais trop et ça
serait dangereux de capoter. J'espère en terminant que ma
cause sera remise au mois d'octobre prochain pour que
j'aie le temps de me préparer comme il faut et non pas à
moitié, comme à mon autre procès.

Fraternellement,

Gilles

4 août 1973

Bonjour André,

J'ai bien hâte de te voir pour jaser un brin, car je m'ennuie de nos petites entrevues régulières. [...]

L'avocat est supposé venir me voir vendredi. J'ai très hâte de pouvoir discuter de ma cause avec lui.

Monique me parle de toi souvent, des petites réunions et des gens qu'elle y rencontre. Elle garde un très bon moral et me le remonte à toutes les fois qu'elle vient me voir et me visite. On espère bien fort tous les deux être ensemble le plus vite possible pour «vivre» notre vie et être heureux au «boutte» comme on l'était auparavant et même plus encore.

Avec l'expérience traumatisante que nous avons passée, on a découvert beaucoup de petits détails enrichissants qui nous aideront encore plus à profiter de la «vie» au maximum quand nous serons enfin ensemble.

Gilles

Denis

Homme très cultivé, racé, Denis, lorsque je le rencontre, est prévenu (en attente de procès) à cause de ses engagements politiques et sociaux. Les autres détenus sont convaincus qu'il est un policier qui a infiltré leur secteur, d'où le ton de cette lettre. Ils finiront par découvrir qu'ils avaient tort. Libéré après avoir purgé sa sentence, Denis est aujourd'hui très engagé dans la société.

6 décembre 1979

Jean,

Je te remercie pour ce que tu fais pour moi depuis quelques jours. Tu es le seul contact qu'il me reste avec les gars du C. Comme tu le sais, ma tête est littéralement mise à prix dans ce secteur. À la dernière mise aux enchères, elle était cotée à 200 $. C'est vraiment pas cher. Moi qui croyais qu'elle valait plus que ça! Le marché de ma tête se fait chaque après-midi entre les deux secteurs (le B et le C) d'une fenêtre à l'autre. Hier, il n'y a pas eu preneur dans mon secteur à 200 $. J'ai hâte de voir si les prix vont monter.

Tu vois je déraisonne. Je ris pour ne pas pleurer, pour ne pas en péter. J'ai des nerfs d'acier, mais ça fait longtemps que je gravis ce calvaire, le mien. Bientôt dix ans! C'est peut-être maintenant plus qu'un gars ne peut en prendre. Autre chose qui me laisse perplexe, c'est de voir des détenus s'adonner à la même «justice» expéditive tronquée et rageuse que les magistrats qui les ont condamnés et qu'ils haïssent. Les plus rageurs ne valent pas plus que les juges qui les ont condamnés. «Ne pas faire aux autres ce qu'on n'aime pas se faire faire soi-même.» [...]

Jean, je te le demande, même si tu es surpassé par les festivités chrétiennes de Noël, je te demande de redoubler tes efforts pour apaiser les esprits, expliquer les choses aux gars pour qu'ils me fassent justice et que je retrouve la paix et la force intérieure dont j'ai encore besoin pour franchir les derniers milles. Ma vie et le bonheur de mes enfants tiennent dans tes mains.

Salut,

Denis

PS: Garde la lettre au cas où il m'arriverait quelque chose. Dans ce cas, j'aimerais qu'elle soit connue et que mes enfants en aient une copie pour plus tard, pour comprendre au moins.

Claude

Un homme au quotient intellectuel supérieur. Il fréquente le monde des arts, mais il a ses côtés sombres. Il est condamné à vie pour un meurtre. Il a correspondu plusieurs années avec sœur Murielle, carmélite de Montréal. Il épousera une de mes amies. Libéré depuis plusieurs années, il gagne aujourd'hui honorablement sa vie.

18 octobre 1971

Salut père Jean,

Comment ça va? J'attendais d'avoir reçu l'article dans le journal pour t'écrire.

Après avoir pensé au pour et au contre, j'ai décidé que j'en avais assez. J'aurai bientôt 27 ans et j'ai décidé d'accrocher mes gants. J'en ai marre de la prison. C'est pas venu tout seul, ça a pris du temps, mais je crois qu'il me faut comme à n'importe qui une petite vie bien rangée. Ça doit sûrement pas être aussi drôle que la vie d'avant, mais ainsi je pourrai vivre en liberté et quand je verrai des gens, ce ne sera pas derrière des grilles.

C'est pour cela qu'aujourd'hui, je te demande de me présenter une «rose», une fille. Pas besoin qu'elle soit belle ou riche, simplement une fille qui croit qu'un gars peut se replacer dans la vie en partant de zéro. J'aimerais pouvoir avoir confiance en quelqu'un, j'aimerais pouvoir aimer quelqu'un. Essaie de me trouver ça si c'est possible, je t'en serais reconnaissant toute ma vie.

Ton ami de l'autre côté du mur,

Claude

30 novembre 1971

Salut Jean,

Seulement quelques mots pour ne pas te déranger trop longtemps.

J'aimerais tant pouvoir être libre. Quand j'étais jeune, ma mère travaillait à Outremont comme femme de ménage chez une bourgeoise et nous avions une chambre pour elle et moi dans cette maison. Je jouais avec les enfants de cette femme. Nous jouions au base-ball et c'était rarement mon tour de frapper la balle, donc il m'arrivait de me retirer de la partie. Ma mère me demandait pourquoi je refusais de jouer et je lui expliquais pourquoi et elle me disait : « Ça va venir plus tard, attends tu vas vieillir. » Aujourd'hui, j'ai vieilli, pourtant il m'arrive encore plus rarement d'aller au bâton. Peut-être faut-il que j'attende encore ? J'espère que ce ne sera pas trop long.

Ton ami,

Claude

10 février 1972

Salut petit Jean,

[...]

Ça faisait très longtemps que je n'avais pas fait cela, mais mardi j'ai parlé avec ton «Boss». C'est pas tout à fait le genre de personne avec qui j'ai de fréquentes conversations, mais comme je lui ai dit, c'était pas pour moi. Je ne sais pas s'il m'a écouté, mais j'espère que ça va mieux, mais lui il peut pas tout faire. Il faudrait peut-être que tu prennes un autre deux semaines de vacances.

Fais attention à ta santé,

Claude

19 avril 1972

Salut Jean,

Si un jour ça peut finir (la prison et toute cette saleté), je te promets que Michèle et moi feront un voyage (au sens propre du mot). Si tu es en congé, tu embarques dans le bateau. Sinon, tu prends des vacances et tu embarques quand même.

Je te quitte et si c'est pas trop te demander, prie pour moi juste assez pour qu'il me donne un coup de pouce de temps en temps. D'ici là, je reste sage comme une image.

Ton ami le bagnard,

Claude

31 juillet 1972

Salut Jean,

Comment ça va petit curé de la ville avec le cœur grand comme une campagne!

J'ai hésité avant d'écrire puisque tu conserves tout. Et puis j'ai pensé que c'était une bonne chose, car si jamais (plus tard quand la liberté sera revenue chez moi) j'ai les idées noires ou que les choses ne vont pas sur des roulettes, il n'y aura qu'à relire une ou deux de ces pages et alors je suis sûr que le rétablissement sera rapide.

Salut,

Claude

Noëls en prison – Vincent

Noël

C'est le temps de la Noël, un temps pour réfléchir, un temps de renouveau. Un temps où toutes nos attentes, toutes nos espérances seront comblées par cet enfant qui naîtra. C'est un temps de chants, de joie, un temps pour partager notre allégresse avec tous les hommes de bonne volonté.

C'est le temps d'ouvrir tout grand notre cœur, d'écouter ce message d'amour et de liberté que Dieu livre à tous par cet enfant.

Que la paix, la joie et l'amour, en cette nuit unique de la Nativité, vous habitent et vous accompagnent chaque jour de la nouvelle année.

Amitiés,

Vincent, condamné à perpétuité

Pour le téléthon

21 septembre 1986

Avis à la population

La présente a pour but de vous informer de la tenue d'un projet visant à amasser des fonds monétaires, fonds qui serviraient à la recherche médicale sur les maladies infantiles et qui seront versés à la Fondation du téléthon des Étoiles.

Il va sans dire que la première raison d'un tel projet se veut un geste humain et de responsabilité sociale. Mais la grandeur de votre geste, gratuit et personnel, sera perçue comme un pas de réconciliation et d'amendement envers la société dont nous faisons partie, qu'on le veuille ou non.

Dans quelques jours, les affiches publicitaires de la campagne du téléthon des Étoiles seront posées dans vos secteurs et dans divers endroits stratégiques de la prison de manière à vous rappeler cette collecte.

N'oubliez pas que plus vous serez généreux et plus votre geste sera apprécié. De plus, l'établissement s'est engagé à doubler le montant de tous les fonds que nous aurons recueillis.

Alors donnez ! Vous prouverez à la société que nous ne sommes pas si marginaux que le système veut bien le laisser entendre.

Yvon (C G 3/28)[3]

Patrice (C G 1/33)

---

3. Les cellules sont indiquées de la façon suivante : Secteur, côté Droit ou Gauche, plancher/cellule.

Jean-Pierre

Au pénitencier, il a obtenu un baccalauréat en sociologie, mais ses problèmes de drogue l'ont mené de nombreuses fois en prison et en institution. À sa sortie de prison, il mourra des suites d'une intervention policière à la sortie d'une boîte de nuit. Seul dans la vie, c'est finalement une bénévole et sa famille qui inhumeront ses cendres dans le lotissement familial. Il aimait beaucoup écrire des poèmes.

Isolement

J'ai connu l'isolement
L'homme agit bassement
J'ai connu l'isolement
Je m'étais coupé au sang

On m'a déshabillé
Nu tout le monde m'a vu
On m'a mis les menottes et les chaînes
Pour pas que je me déchaîne

On ne m'a même pas donné à boire
Ils avaient leur café à boire
On m'a refusé de fumer
Pour ne pas me brûler

On ne m'a même pas sorti
Pour me dégourdir les jambes
Alors sur le mur
J'ai écrit des graffiti dans le genre
Laissez-moi en vie, laissez-moi en vie

J'ai connu l'isolement
L'homme agit bassement
J'ai connu l'isolement
Je m'étais coupé au sang

Pierre

D'origine européenne, Pierre est un homme d'une grande culture. Condamné à vie pour meurtre, il retournera dans son pays natal à sa libération, où il fondera une entreprise florissante. Aujourd'hui retraité, nous correspondons encore.

Très cher André,

Cela m'a fait du bien de te voir et de te parler une couple d'heures. [...]

J'ai reçu un mot d'A. Ça m'a fait énormément plaisir. A. dit que je dois vivre et non exister, que je suis en prison par la volonté du Christ, que la monotonie de mes jours est une marche graduelle et ascendante vers Lui, ce qui est un moyen précieux de réparer les fautes qui ont échappées à ma faiblesse etc. [...]

Vois-tu, j'ai beau considérer tout ça avec un maximum d'objectivité, je ne trouve rien qui ne permette de donner raison à A. Dieu le Père et son fils Jésus n'ont rien à voir avec toute cette poutine. Comme les autres, je suis en prison par la volonté des hommes et sur une base essentiellement punitive.

Réhabilitation? Qu'est-ce que ça veut dire? Que je fasse mon travail consciencieusement? Que je sois poli avec monsieur Chose? Que je ne me passionne plus pour le gangstérisme? Mais c'est exactement ce que j'ai fait jusqu'à ma dernière année de liberté et je n'ai pas tellement de mal à continuer. Alors heureusement qu'il m'a été donné de découvrir qu'il existait une manière de faire les réajustements nécessaires, de décortiquer sa propre boîte à malice et de la brancher sur de bonnes sources d'énergie. C'est ça qui est important et là j'ai vraiment le goût de te remercier, toi et «ta gang», pour me l'avoir fait comprendre. Il faut donner à l'individu en difficulté ce dont il a besoin pour qu'il en arrive à se restructurer lui-même.

Dans le meilleur des cas, la prison telle que je la connais depuis plus de quatre ans, peut amener un homme à prendre des «résolutions» du type de celles qui fleurissent dans les partys de fin d'année et qui dessèchent aux premières lueurs du jour suivant. La prison fait de nous des êtres mièvres, hypocrites, débalancés, peureux, menteurs et vicieux. Je ne l'ai connue que comme un instrument de destruction et si du bourbier gluant qu'elle représente des hommes s'en échappent, ce n'est que parce qu'ils n'y ont pas séjourné longtemps ou ont reçu une formidable aide extérieure, exclusivement du genre de celle que toi et nos amis me donnez depuis si longtemps déjà. Non, le Christ ne veut tout ce gâchis et le travail que tu fais en son nom en est la preuve.

Je vais écrire à A., mais je ne lui dirai rien de tout ça. Je préfère lui laisser la paix de ses illusions. [...]

Amicalement,

Pierre

PS: svp. pourrais-tu téléphoner à monsieur G. pour qu'il me fasse parvenir la liste «des-droits-fondamentaux-à-la-vie-humaine» et celle «des-droits-en-tant-que-citoyens-que-nous-respectons-dans-la-plus-large-mesure»? Peut-être que j'y trouverai le moyen de ne pas perdre la forme au cours des six ou sept prochaines années!

Graffiti

En me promenant dans les secteurs de la prison, en visitant les détenus dans leur cellule ou en réclusion (le trou), j'ai noté certains graffiti sur les murs. Certains portent à réfléchir, d'autres expriment la hargne, la douleur et la haine qui habitaient les détenus. Ces graffiti sont inscrits sur les murs comme autant de messages adressés aux autres détenus qui auront à vivre dans ces lieux souvent infects, insalubres et déprimants.

«J'ai aimé, j'ai souffert, maintenant je hais.»
(A D 2/3)

Un autre détenu répond : «J'ai aimé, j'ai souffert, maintenant je sais et je suis fier de moi.»
(A D 2/3)

«Celui qui fait ce qui est juste est juste.»
(C D 3/20)

«Chaque chose a sa place et j'aime que tu m'aimes comme j'aime quand j'aime.»
(B G 1/24)

«Bon, pas bon, bon rien, ce sont tous des bons.»
(E G 3/12)

«Ne pleure jamais le soleil, car tes larmes t'empêcheraient de voir les étoiles.»
– Fachini (D G 3/11)

«L'homme qui a lâché n'a jamais su qu'il était si proche de sa victoire.»
– Fachini (D G 3/11)

« Le plus grand ennemi, c'est d'exister sans vivre. »
– Fachini (D G 3/11)

« L'homme sage sait attendre. »
– Fachini (D G 3/11)

« Un cœur qui aime n'oublie jamais. Un cœur qui oublie n'a jamais aimé. »
(C D 2/3)

« La prison est le désert le plus aride que je connaisse. »
(C G 1/14)

« Le futur est le présent et le présent le futur. Le passé n'existe que dans nos souvenirs. »
(B G 1/5)

« Si l'homme oublie l'histoire, il est condamné à la revivre. »

« Le fait que nous soyons prisonniers, qu'est-ce que ça peut nous rapporter de concret ? »
(C D 3 /4)

« Il est facile de reconnaître les torts des autres, mais difficile de reconnaître ses propres torts. »
(E D 3/24)

« Aime-toi toi-même et les autres vont t'aimer. Essaie. Ça marche tu verras bien. »
(D G 3 /11)

« Seigneur, rends-moi fort contre Satan. »
(A G 2/25. 25-02-83)

«Dans la solitude j'ai prié et j'ai trouvé courage,
foi et paix.»
(C G 2/5. 14-12-77)

À la suite de l'éclosion d'un bouton de fleur coupée prise à la messe, Jean-Luc écrit ce graffiti sur le mur de sa cellule:

«La gloire de Dieu s'est matérialisée ce matin dans ma cellule. Alléluia!»
(C G 3/3. 02-11-94)

Dans le «trou» du secteur A:

«Dans le trou, je hais la société maudite.»
(A G 20)

«Les citoyens sont des caves. Ils se font fourrer par les politiciens.»
(A D 3)

«Maudit trou sale et sales ceux qui nous gardent.»
(A D 12)

«Tu n'es pas seul: Dieu est là.»
(A G 7)

Un brin d'humour

Lors d'une conversation, plutôt que de me mentionner qu'une « épée de Damoclès me pend au-dessus de la tête », un détenu me dit : « Une épée de diocèse me pend au-dessus de la tête. »

À la messe, lors d'une lecture, un détenu a changé le texte évangélique. Plutôt que de lire : « Il est plus difficile à un riche d'entrer dans le Royaume des cieux qu'à un chameau de passer par le trou d'une aiguille », il a dit : « Il est plus difficile à un riche d'entrer dans le Royaume des cieux qu'à un chômeur de passer par le trou d'une aiguille. »

À une messe de Noël, un détenu a livré un nouveau détail sur la naissance du Messie. Plutôt que de lire, au sujet de Marie, qu'« elle mit au monde son fils premier-né, l'enveloppa de langes et le coucha dans une mangeoire », il a dit : « [...] et le coucha dans une baignoire. »

Dans une demande de repas diète, un détenu ne pouvant pas manger de porc me demande d'intervenir en sa faveur et m'écrit : « Ça fait vingt et un mois que je suis en prison et que je mange du porc, alors que je ne suis pas compatible avec le porc. »

Gustave, un Québécois condamné à quarante ans de pénitencier aux États-Unis, m'écrit une lettre datée du 15 décembre 1991 : « Mon cher Jean, j'ai commencé à paqueter mes affaires et à faire ma valise. Je vais sortir dans dix ans. »

Alfred

Alfred est un influent homme d'affaires, lié au monde interlope. Le jour où les policiers viennent l'arrêter, il réussit à les déjouer, et il vivra en cavale pendant dix ans. Arrêté, il sera condamné à plusieurs années de prison. Il est aujourd'hui retraité et a coupé tout lien avec le milieu criminel.

Vendredi 31 janvier 1975

Salut André,

Ta visite parmi nous laisse une marque. Le message que tu transportes si bien avec toi fut capté et peut-être même mis en pratique par certains d'entre nous. Bien entendu, je ne pourrais prétendre au nom d'un ou de plusieurs autres que nous en sommes tous à la pratique de s'aimer les uns les autres en toute pureté. Mais, s'il se trouvait déjà au sein du groupe un individu qui avait débuté son ascension vers la recherche d'une force, d'une vérité, d'une foi dans laquelle il pourrait puiser dans les moments difficiles de la vie (la prison est bien l'un de ces moments) et bien je peux t'assurer que tu as contribué à cette ascension.

Bien des gens se demandent «qui» est Dieu ou «qu'est-ce que c'est» Dieu? On ne peut certes pas y répondre en montrant tous les symboles et les pratiques enseignés par les différentes sectes et religions qui professent tous de connaître «la» vérité. Mais, il reste que si on réussit à identifier cette force intérieure mystérieuse et s'en servir pour lui parler en tout temps, si appuyer et profiter de sa force influente sur le caractère: alors nous ne sommes plus jamais seuls. Les pires déboires, les plus atroces conditions de vie seront surmontées. [...]

Je sais maintenant qu'avant même d'aimer, il faut d'abord croire. Aujourd'hui, cette équation croire-aimer me paraît toute simple, claire et nette.

Alfred

16 avril 2004

Salut André,

Ne soit surtout pas surpris, ne tombe pas à la renverse, c'est bien moi.

Comme je te sais un bon chrétien et qu'en plus tu as dû faire tes Pâques sans oublier tous les pécheurs qui se sont soulagés des monstruosités que supportaient leur conscience, tu mérites, après un si laborieux chemin de croix, de me lire à nouveau.

J'ai bien tenté de te rejoindre une première fois le Vendredi saint qui coïncidait cette année avec l'anniversaire de mon épouse Manon. Je me suis réessayé dimanche, jour de Pâques, et en plus d'une occasion, je me suis heurté à un affreux répondeur. En rétrospective, je me suis dit qu'avec le temps, tu étais devenu ratoureux et que tu avais peut-être orchestré cette mise en scène dans le seul but de me lire. Tu vois que la prison n'a pas fait de moi un être à pourcentage élevé d'humilité.

Ceci étant dit, je vais bien. J'attends qu'on me signifie mon transfert pour Sainte-Anne-Des-Plaines. Je continue d'entretenir une correspondance régulière avec ma famille et mes amis. J'utilise la salle de visite jusqu'à outrance sans pour autant en ressentir une quelconque culpabilité.

À la prochaine,

Alfred

25 janvier 2005

Salut André,

Le temps est un peu froid et l'ami George Bush a de nouveau été assermenté à titre de président des États-Unis d'Amérique. C'est la preuve qu'il y a toujours de la place quelque part pour un crétin au sommet de la pyramide sociale.

La neige a omis de couvrir le sol de Cowansville cette année. Chaque matin lorsque je prends ma marche de santé quotidienne, je continue de m'émerveiller devant ces petites bêtes que sont les oiseaux. Lorsque je les entends chanter et que je les voie voler en dépit du froid. Ils semblent heureux. Ils chantent à pleins poumons. Ils semblent nous convier à en faire autant. N'est-ce pas ce que nous devrions toujours faire?

J'ai reçu et lu avec un très grand plaisir tes cartes de souhaits. J'apprécie toujours qu'on me dise qu'il y a du courrier pour moi. Une lettre en prison, c'est un visiteur qui se cache dans une enveloppe en prenant le soin de transformer au préalable en voyelles et en consonnes. Les personnages diffèrent, mais le message reste le même : Nous t'aimons et nous pensons à toi.

Depuis une semaine, j'ai entrepris à nouveau des démarches afin de transférer mes pénates vers un établissement à sécurité dites «minimum». Le plus tôt j'y serai, plus je pourrai accumuler des points en prévision de ma comparution devant les commissaires à la libération conditionnelle. Ainsi va la vie.

Je dors bien et je garde un excellent moral. Il en est de même pour mon épouse Manon avec qui je célébrerai cette année notre 18ᵉ anniversaire de mariage le 11 avril. J'en profite pour t'inviter à venir bénir le repas que nous prendrons lorsque nous célébrerons notre 20ᵉ. Notre motivation demeure toujours la même. C'est-à-dire que nous avons traversé la tempête et que devant nous s'ouvre soudainement un espace d'eau calme où nous pourrons philosopher en paix sur l'expérience de nos vies respectives.

Hier nous sert d'école de la vie. Aujourd'hui nous prépare à ce que sera celle de demain.

À la prochaine,

Alfred

Journal du père Jean – 2

13 février 1973

Avec nos gars, j'ai eu une conversation très intéressante sur le sens du sacrement de pénitence. Au cours de la discussion, nous parlions de Jésus et [l'un d'eux] m'a dit soudainement:

> «Tu sais, j'ai trente ans, j'aimerais bien rencontrer Jésus parce que je sens bien qu'il changerait ma vie.»

14 mars 1974

Réal, condamné à mort, me disait:

> «Je ne peux plus douter de la présence du Christ, de Dieu sur terre, car j'ai rencontré trop de personnes qui sont l'expression de Dieu: Catherine de Hueck, Jean Vanier, Jeanne, madame Bernier.»

15 mars 1974

Louis me dit au sujet de Jean Vanier:

> «C'est un gars qui parle trop bien: il est très dangereux pour moi.»

23 octobre 1979

Gerry, un boxeur impétueux, violent, mais toujours souriant me dit:

> «Ben souvent je ris, mais en dedans je pleure.»

13 juin 1992

Lors d'une sortie pastorale avec les détenus, en revenant de la trappe d'Oka, Jean-Pierre, un portier de boîte de nuit, me confie:

> «Lorsqu'en sortant des clubs à quatre heures du matin pour aller me coucher, je saurai qu'il y a des moines qui, à cette heure-là, sont à la chapelle pour prier.»

Pierre

Accusé de meurtre, Pierre a surpris tout le monde, un Jeudi saint
à la messe du soir. Il a demandé à l'assemblée de prier pour
le délateur qui témoignera contre lui à son procès. La veille du
procès, il demande à mon remplaçant de me rencontrer, car je suis
déjà parti pour ma retraite.

Mémo adressé au père Jean-Louis (remplaçant du père Jean)

Bonjour,

Je voudrais vous adresser une demande pour une
rencontre avec le père Jean. Comme vous le savez, il a été
une personne très importante dans mon cheminement
personnel et j'aimerais pouvoir le rencontrer à la chapelle
ou sinon, dans la mini chapelle avant que mon procès
débute au mois de septembre.

Merci,

Pierre

Pendant cette rencontre, il veut prier avec moi pour le juge, l'avocat
de la Couronne, le jury, les victimes, son avocat et le délateur. Il me
dit: «Père Jean, je suis à la croisée des chemins : ou je suis libéré
ou je suis condamné à vie.» Il sera trouvé coupable de meurtre au
premier degré et condamné à perpétuité. Nous sommes toujours
restés en lien.

Jean-claude

Jean-Claude est un de ceux qui ont été arrêtés lors de la première grande rafle antimotards au printemps 2001.

20 janvier 2002

Ma révélation

J'ai passé toute ma vie à penser que la religion était une chose inutile et une pure invention de l'Homme : je me trompais. Étant de nature scientifique, ma vision de l'Homme passait par des concepts purement logiques et intellectuels. Les seules forces de l'Univers étaient celles de la physique telles que nous les connaissons. Pourtant, même ces forces ne sont qu'une représentation de l'univers que nous avons créée et élaborée en tant qu'humains.

Depuis quelques mois, j'ai eu la chance d'avoir un bon guide, un peu de lecture et beaucoup de temps pour réfléchir à ce qui organise la vie spirituelle et rend les hommes meilleurs. Je ne sais pas si c'est à dessein qu'ils se révèlent à nous de cette façon ou si c'est une invention de l'Homme, mais Dieu est certainement une force de l'Univers. L'important et le plus fabuleux, c'est que lorsqu'on y croit, ça marche.

Je pourrais comparer Dieu à une automobile. Celle-ci est constituée de pièces et de composantes toutes inventées par l'Homme. C'est le pétrole, une forme d'énergie, qui est utilisé pour faire marcher le véhicule. On pourrait alors se poser les questions suivantes : comment l'Homme a su développer son savoir et découvrir que le pétrole contenait la force nécessaire à faire avancer l'auto ? Y a-t-il un plan divin qui pousse les grandes forces de l'Univers à se révéler à l'Homme ? Pourquoi possédons-nous ce pouvoir qu'est l'intuition et qui nous est si utile ?

Je vois donc Dieu comme une auto, une chose inventée de toute pièce ou une révélation à l'Homme, des grandes forces de l'Univers. Et voici ce qui fait fonctionner Dieu : la religion, l'amour. L'Univers nous demande, à travers la force qui se révèle sous la catégorie religion, une seule chose : aimer. Aimer son prochain, mais aussi aimer les animaux, les fleurs, les insectes, les virus, les nuages, car l'Univers a besoin de cela pour fonctionner.

Jean-Claude

Alain

Renaissance

Ne plus venir d'aucun milieu
Se laver du passé
Partir pour tout recommencer
Se déraciner de la familiarité

Partir et tout oublier le mal qu'on nous a fait
Et celui qu'on s'est donné
Des causes à effet
Tout laisser le passé afin de ressusciter
Des pleurs, des amours, des dommages
Pour un nouveau paysage

Tout quitter derrière soi
Même toi

Alain — 11 septembre 1995

Substance

Parce qu'il consomme des substances
Il perd toute la vivacité
Tout le feu qui est en lui
La confiance d'être assuré (rassuré) de tout
La consistance de son bon droit

Lorsqu'il consomme de la spiritualité
Il est enflammé de vérité
Et même s'il lui arrive de se tromper
Il ne peut avoir peur
Car il a le cœur qui vibre
D'un honnête espoir de sérénité

Alain — 1995

Amour

Unique foi qui ne se décrit pas
D'une surréelle beauté qui ne peut exister
Amour comment te l'expliquer
Mais tu ne comprends pas
Qu'après toi il n'y a plus sur mon chemin

Amour pour un instant au creux de tes bras
Je bouleverserais l'univers

Amour, ange de l'âme
C'est pour toi que je tremble

Alain — 1986

Suicides et morts violentes

Au cours de mon ministère à la prison de Bordeaux, il y a eu 74 suicides, 3 meurtres, 33 morts naturelles, 11 morts par intoxication (overdose), 3 décès dus au VIH. Un détenu est aussi mort, brûlé dans sa cellule, dans le sous-sol du A, le «trou».

Michel – 25 ans

Il se suicide le Vendredi saint, 9 avril 1971. Prévenu en attente de procès pour deux meurtres, je le rencontre à sa cellule, le Mercredi saint en soirée. Il m'apparaît serein. Le Jeudi saint à 14 heures, il vient à la messe et reçoit la communion au grand étonnement de ses codétenus. Le Vendredi saint, il se suicide à 15 heures après avoir absorbé une pilule de cyanure.

François – 19 ans

Assassiné le 9 janvier 1982. François est assassiné dans la soirée dans sa cellule. Les trois détenus qui le tuent se sont trompés de personne. François avait écrit, sur le mur de sa cellule, ces paroles du Christ:

> «Aimez vos ennemis, faites du bien à ceux qui vous haïssent, bénissez ceux qui vous maudissent, priez pour ceux qui vous persécutent.»

Yvon – 19 ans

Il se suicide le 24 décembre 1972. Pour Yvon, la pensée de sa sortie l'angoissait. Lorsqu'il venait me voir à mon bureau il me disait: «Mon père, lorsque je suis avec vous dans votre bureau, je me sens comme un petit oiseau hors de sa cage. Est-ce que je pourrais coucher ici, dans ce bureau?»

Je vois Yvon une heure avant son suicide, le 24 décembre à 22 heures, un peu avant la messe de minuit. Il lui restait deux semaines à purger sa peine. Il me laisse une note avant de se suicider:

« Mon père, je vous demande pardon de mourir ainsi. Merci pour tout ce que vous avez fait pour moi. Vous étiez mon seul ami. »

Yvon

Richard – 25 ans

Richard se suicide le 5 février 1980. Il ne lui restait qu'un mois de sentence à purger. Il a toutefois peur de quitter la prison. « On a mis de l'argent pour ma tête », m'écrit-il quelques jours auparavant.

Yves – 30 ans

Il se suicide le 16 décembre 1982. Yves était toxicomane. Après plusieurs mois d'attente pour aller dans une maison de thérapie, découragé, il se suicide. Le matin de son suicide, la maison de thérapie téléphone à la prison pour me dire qu'ils vont venir chercher Yves. Je leur réponds : « Trop tard, il s'est suicidé cette nuit. » Yves me disait :

« Père Jean, ça fait trois mois que je lutte dans mon secteur pour ne pas consommer. Je suis au bout. Quand est-ce que la maison de thérapie va venir me chercher ? »

Roger – 23 ans

Roger se suicide le 24 avril 1988. Le suicide de Roger a bouleversé ses codétenus. Un codétenu, Georges, exprime ainsi la douleur :

« En ce moment, j'ai le goût de pleurer. J'aimerais tant avoir quelqu'un à qui parler. En ce moment, je sens les murs me manger de ce qui me reste de pensée. Tu sais Seigneur, je ne sais pas prier, mais je sais que je peux te parler, que tu vas m'écouter sans me juger. Seigneur, je te demande de m'aider. J'ai déjà aimé, j'ai été blessé, j'ai souffert et je me suis révolté. Seigneur, aide-moi à *réapprendre à aimer, à leur pardonner chaque fois qu'ils vont me juger. Seigneur, donne-moi la force de les accepter quand ils vont me blesser.»*

Michel – 30 ans

Michel s'est suicidé le 24 avril 1988. Michel était toxicomane. Il désirait s'en sortir. Il était très croyant. Il pensait que même s'il suivait des thérapies, il pouvait boire et consommer à cause de sa foi. Il a réalisé que ce n'était pas possible et qu'il devait faire sa part. Il me disait :

«Je crois que Dieu m'aime malgré tous mes péchés et mes misères.»

Martin – 20 ans

Martin se suicide dans la nuit du 5 décembre 1990. La directrice dira que ce suicide avait surpris le personnel et ses amis détenus. Ses codétenus lui adresseront un message d'adieu :

Aux parents du défunt et à toi Martin,

Toi, Martin, qui a décidé de ton geste de te confier aux mains de Dieu, nous te souhaitons tous une vie meilleure et un repos éternel que tu as désiré. Nous ne comprenons pas ton geste, mais ce que nous savons tout de même, c'est que tu auras enfin la paix autour de toi.

Tu as décidé que Dieu, pour toi, était un refuge et un appui et qui ne manque jamais dans la détresse.

Aux parents de Martin, nous vous souhaitons tous nos sincères condoléances et que nous sommes de tout cœur avec vous.

Les détenus du secteur B.

Maurice – 36 ans

Il se suicide le 21 décembre 1992. Il vivait des angoisses profondes et ne supportait plus ses retours fréquents en prison. Je l'ai rencontré la semaine précédant son suicide.

Michel – 38 ans

Michel s'enlève la vie le 5 mai 1993. Il avait une grande dévotion à sainte Marguerite d'Youville. Il a fait un travail sur sa vie.
La pensée de sortir le mettait dans un état d'anxiété profonde.
Il me disait: « Je ne veux pas imaginer sortir un jour pour retomber dans l'enfer de la drogue. »

Michel a fait toute sa sentence sans consommer. Avant son suicide, il est venu à la messe dans l'après-midi puis, il s'est enlevé la vie. Quelques jours auparavant il avait écrit ce texte:

La souffrance

À travers chaque souffrance il y a un don. Si on se donne la chance de comprendre et être à l'écoute de ceux qui nous aiment et ceux qui veulent notre bien-être, là est le vrai message que l'on doit prendre et s'assurer de bien le mettre à notre avantage pour qu'un jour on puisse le donner à un autre qui lui aussi souffre et ne demande que le bien-être dans chaque jour de sa vie. Comme on dit : « Tu ne peux rien garder de ce qui est cher à la vie si tu ne le partages pas avec d'autres. Aider quelqu'un, c'est comme s'aider soi-même, mais il faut que ça vienne sincèrement du cœur de bonne volonté. »

29 avril 1993

Un de ses amis me confie les dernières conversations qu'il a eues avec Michel.

Mercredi 5 mai à midi.

Le mercredi midi, Michel vient dans ma cellule et me dit: «André, j'ai eu un flash cette nuit pour m'accrocher.» Il me montre son cordon de pantalon de jogging. Je lui réponds: «Michel, mon sacrament, tu ne vas pas faire ça. Tu n'as pas fait dix mois straight dans cette jungle pour lâcher à quinze jours de la fin. Va au moins essayer un peu dehors. Puis si ça va pas, tu pourras t'accrocher. Les beaux jours sont à venir. Tout va bien aller. Tu es attendu chez Denise, tu n'es pas dans le chemin.»

Un peu plus tard, en après-midi, il me revient. Il parle encore d'en finir. Je lui rappelle qu'il a déjà réussi à atteindre ses buts: une fiancée, un appartement, beaucoup de sobriété. «C'est valorisant tout ça Michel. Je te considère comme un gars cultivé, un gars qui est capable d'identifier ses sentiments, rempli de beaucoup de valeurs, surtout la générosité envers les tiens, ta sincérité. Il me répond: «Ça fait trois jours que ça dure. Je remonte pas. Il faut que j'arrête de penser à mon passé.» Je lui réponds: «C'est en avant qu'on s'en va. Tu sais, je vis pleinement ma sortie et c'est la première fois. Tu sais, toutes mes sentences, je les ai toujours faites gelé. Je n'ai jamais senti de feeling quand je sortais mais là, c'est autre chose.»

Vers 15 h 15, il semble plus fort, mais il est encore obsédé par son passé. Il me raconte l'offre de sa sœur Denise. Elle va l'accueillir à sa sortie, mais il me dit: «Je ne veux pas recevoir tout cuit dans la bouche.» Je lui réponds: «Va décompresser en pleine campagne! Va te gonfler pour rebondir plus vivant! Va faire la paix, te recharger! Mais n'oublie pas: il y a des efforts à faire!» Je lui parle

d'une maison en campagne. Tout ça l'intéresse. Il ajoute :
« Tu me donneras l'adresse une semaine avant que je
sorte, si je suis pas sorti avant. » Alors je lui dis : « Niaise-
moi pas, fais pas l'innocent. »

Vers 17 h 45, de ma passerelle, je vois chez lui. Sa porte
n'est pas ouverte. Je jette un coup d'œil : il semble
regarder par la fenêtre. Je crois qu'il veut la paix. Au
souper, il ne descend pas.

Vers 18 h 30, je vais lui porter une liqueur et du chocolat.
J'ouvre la porte. Alors je dis : « Michel. » Il ne répond pas.
Je crois qu'il allait se retourner en souriant. Au même
moment je crois, je vois le cordon attaché par le dernier
barreau. J'appelle à l'aide. Je vais commander une civière.
Il avait déjà rejoint le cœur de Mère Marguerite
d'Youville.

Quelques instants, je me suis senti coupable. Je me
disais : « J'ai pas été assez persuasif mais pourtant, son
choix était fait. » Il n'avait pas peur de la mort. Il nous l'a
malheureusement prouvé à tous.

Prière d'adieu d'un suicidé

Il m'importe de mentionner que plusieurs suicides ont été évités par des interventions préventives auprès des détenus. C'est, entre autres, le cas de Joseph. Ayant reçu cette prière, je l'ai visité dans sa cellule et des mesures ont été prises pour l'aider dans sa détresse.

Pardon mon Dieu de m'enlever la vie que tu m'as donnée. Je ne suis pas reçu ni aimé de personne sur terre. Mon lot dans cette vie n'a été que condamnation et jugement. Ayez pitié de moi dans votre grande bonté et miséricorde.

Pour votre justice et votre Royaume, je n'en peux plus de souffrir cet emprisonnement. Je veux être libre de m'envoler vers Toi. Mon Roi d'amour, Toi tu m'aimes comme je suis et Tu connais ma souffrance.

Pardonne mon Dieu pour tout le mal que j'ai fait aux autres et que les autres auront à causer à cause de mon geste de désespoir.

Amen

Joseph

Gérard

Horizon perdu

Le prisonnier sitôt enfermé
Le contrôle de son esprit devient comparable
   aux automates
Ne vivant toujours que pour les dates
Espérant tout le temps jusqu'à la fin

L'air calme et lourd de chagrin
Toujours expirant anxieusement au regard fixe
   d'un halluciné
Aux minutes infernales passées
Vivant dans le noir d'un enterrement
De la première jusqu'à la fin

Dans la course d'heures enchaînées
On y meurt tout en restant bien vivant
On meurt dans le cœur des anciens amis
En restant vivant pour nos ennemis
Et on oublie la candeur des enfants
Dans les chaînes repoussant le passé
Trop tard hélas pour changer

La prison quand elle ne fait pas de nous des fous
Elle nous affame comme une meute de loups
Dans ce cachot cuisant, j'ai l'âme pénétrée
De distiller si tard cette vérité
On entre dans une prison comme si on s'y était
   trompé de porte
Mais quand on l'a passée en sorte
De la maladie on t'injecte le poison

Quand on a connu la vie de prisonnier
Elle s'attache à ton corps
À mon corps en effet elle s'est imprégnée
Et naissant elle m'a rendu mort

Je comprends maintenant sans être philosophe
Que cette vie n'apportera que des catastrophes
Mais rendu aujourd'hui au tiers de ma vie
Je ressens avoir vécu mes dix décennies

La vérité est amère
Couché sur mon lit
Faisant cavaler ma pensée
Je cherchais un coin intime de mon passé
Transpercé par le glaive de mon abîme
Je voulais fuir vers quelque chose de sublime

Parle, cette fois dis quelque chose esprit
Quelque chose de plus intelligent qu'ici
Tu veux le charme de ma douce solitude
Attends que je l'y trouve et l'allume

Ta vie ressemble à cette cigarette
Où la liberté constitue son allumette
Chaque bouffée de braise attisée
Te rappelle que ta vie va se consumer

Et tu es peiné
De t'y voir oublié au cendrier
Arrête
Laisse-moi donc dormir vérité

Gérard

Louis

Louis est un jeune brillant et plein de potentiel. Il porte toutefois en lui la douleur profonde d'une enfance blessée. Sa toxicomanie lui cause de nombreux problèmes, l'amenant à purger ses sentences à Bordeaux et au pénitencier. Très croyant, il correspond avec sœur Marie-Thérèse-de-la-Croix, carmélite. Ils se rencontreront au parloir pour la première fois après presque vingt ans de correspondance. Il mourra à l'âge de quarante ans d'une overdose dans une chambre minable de la rue Cherrier. Sœur Marie-Thérèse décédera à son tour, trois mois après lui.

21 octobre 1986

Salut Jean,

Je me suis rendu au «vieux Pen», malheureusement je n'ai pas commencé à travailler et je manque de fumage. Pourrais-tu svp m'envoyer quelques piastres pour m'acheter du tabac?

J'apprends tranquillement à me passer de médicaments et je n'ai pas mouillé mon lit depuis que je suis ici.

Prends soin de toi.

Merci pour ce service, malgré que je sais que tu as un gros troupeau à t'occuper.

Louis

29 septembre 1986

Salut Jean,

Je suis malade présentement : maladie d'amour. Je
rencontre le psychiatre ce matin. Je ne sais pas s'ils
décideront d'engourdir mon mal ou s'ils prendront
le temps de m'aimer.

Vas-y mon Jean !

Louis

PS Veux-tu prier pour mon père svp.

29 novembre 1990

Bonjour Jean,

Je suis présentement à l'institut Pinel depuis
le 18 novembre pour une évaluation psychiatrique.
J'en ai pour près d'un mois. Je ne prends aucun
médicament et les médecins disent que je n'ai rien.

Je suis ici à la demande des autorités de Cowansville. Je
commençais à capoter. J'étais au trou pour des dettes de
drogues. Avant ça, j'étais parmi la population. J'avais
commencé à prendre des cours pour terminer mon
secondaire. J'avais de bons résultats, même de très bons
(94-96-100 en mathématique), mais avec mes *free games*,
j'ai abandonné encore une fois. Je me demande si un jour
j'obtiendrai ce fameux secondaire 5. [...]

J'espérais également que ma sentence diminue devant la
Cour d'appel. J'espérais être libéré le mois prochain. C'est
dur sur le système. C'est ma 5e sentence. Je m'en vais vers
mes 31 ans et je fais du temps depuis 1983.

En lâchant l'école, je n'ai plus eu de salaire. J'ai été incapable de payer et les gars ont doublé et redoublé la dette : les requins tu connais ça. Je suis rendu à 30 tabacs à 3,75 $, ce qui fait à peu près 100 $ pour la moitié d'un gramme de hasch. J'ai pas une *crisse* de cenne de cantine. Ils sont à peu près quatre à attendre après moi. C'est pourquoi j'ai demandé la protection.

Ma famille ne veut rien savoir de moi. J'ai pas de chums, pas de blondes, pas de diplôme, pas de voitures et pas d'argent. Encore un an de prison à faire devant moi. Où va-t-on avec ça au début de la trentaine ?

Je sais que j'ai pu profiter du système à un moment donné, je sais que je suis alcoolique, mais je suis écœuré de ne vivre que pour moi-même.

Je sais que tu es bon Jean et je te demande de prier pour moi.

Avec reconnaissance,

Louis

---

8 février 1992

Salut Jean,

J'ai été libéré de ma 5e sentence, une première fois le 26 août. J'ai été suspendu pour être arrivé à la maison de transition intoxiqué. Je suis allé à Pinel deux fois. J'en ai arraché. Je suis présentement en appartement à Granby. Ça me fait plaisir d'être chez nous. Je ne veux plus retourner en dedans. Je vais me suicider.

J'ai hâte de savoir comment tu vas.

Porte-toi bien,

Louis

26 septembre 1995

Bonjour Jean,

Je t'écris pour te remercier encore une fois pour l'argent
que tu m'as fait parvenir la semaine dernière. Je te
demande de prier pour moi, ma santé ne s'améliore pas et
les années qui viennent me font peur. J'aimerais vivre
le temps qu'il me reste dans la sagesse.

Porte-toi bien,

Louis

5 novembre 1996

Salut Jean,

Comment vas-tu? As-tu eu de belles vacances? Moi, ça va.
Cependant, je faiblis. Je m'en aperçois. Je dois débuter l'AZT
et le 3TC au milieu du mois. J'ai eu des troubles de
diarrhées et d'insomnie tout le mois d'octobre. J'ai fait une
grave pneumonie en août. J'ai été hospitalisé dix jours.

Je demeure ici sur la rue Cherrier depuis le 1er septembre.
C'est tout petit, c'est minable, mais je ne peux me payer
plus pour l'instant.

Vas-tu m'amener un autre panier de Noël cette année?
J'ai été tellement heureux l'année dernière.

Je voudrais mourir sainement et proprement. J'essaie de
faire des efforts dans ce sens, cependant ce n'est pas facile.

Prie pour moi, je le fais pour toi,

Louis

18 mars 1997

Salut Jean,

Comment vas-tu? Moi, ça va. Rien d'anormal depuis ma dernière pneumonie. Côté consommation, ça va beaucoup mieux. Je suis sobre.

Jean quand est-ce qu'on va bouffer et voir sœur Marie-Thérèse? Je crois que sa santé se désagrège. La pauvre sœur, prions pour elle.

J'aimerais bien que tu m'aides à me chausser (12) et à me vêtir (M/L 30-32). J'en profite pour te souhaiter une belle fin de Carême et de très Joyeuses Pâques. De la passion et beaucoup de chocolats!

Écris-moi vite. Viens me voir.

Bénédiction,

Louis

17 avril 1997

Bonjour cher Jean,

Comment vas-tu? Moi, je suis en dedans après 64 mois de liberté. Je me suis soûlé et ça me prenait de la coke. Je n'ai pas pensé et j'ai *hold-upé* un chauffeur de taxi. Je m'attends à prendre entre deux ou trois ans de prison ou une *désyntox.*

Nous sommes deux par cellule. Je n'ai rien à fumer. Peux-tu m'envoyer 20 $, 30 $ ou 40 $ pour ma cantine? J'ai besoin d'écrire et de fumer. Je voudrais m'acheter une brosse à cheveux et des sandales de douche.

Ma maladie stagne. Je suis moins traité que dehors. Peut-être la maladie et la mort me sortiront de mon enfer.

Je t'aime bien. Écris-moi.

Envoie-moi une photo de la Vierge svp,

Louis

Donald

Récidiviste, considéré comme très dangereux et irrécupérable, Donald est gardé au « trou » (réclusion) au pénitencier de Kingston lorsqu'une expérience spirituelle bouleverse sa vie. « J'ai rencontré Dieu dans le " trou " », dit-il. On diagnostique un délire religieux et il est transféré à l'institut Pinel qui, à l'époque, occupe l'aile D de la prison de Bordeaux. C'est là que je le rencontre, en 1969. Il sera libéré quelques années plus tard.

Depuis maintenant quarante ans, il donne des conférences partout au Canada. Il a publié 13 livres. Il me dit souvent : « Je ne peux pas trahir celui que j'ai rencontré dans le trou à Kingston. » Il adresse la lettre d'encouragement qui suit à un jeune dépressif, gardé au « trou » de Bordeaux. Donald sait de quoi il parle.

Le 28 janvier 1991

Cher Serge,

C'est avec un grand plaisir que je t'écris cette lettre. Je viens de terminer mon livre *Dix-huit dedans, Dix-huit dehors*. S'il est publié pendant que tu es encore là, je t'enverrai une copie.

Je comprends ta souffrance et je sais comme le temps est long… mais rappelle-toi que tu n'es pas seul. Tu as un bon ami, le père Jean, qui a cru en moi il y a vingt ans et qui est resté mon ami depuis. Je suis certain qu'il peut t'aider à lutter contre la dépression, comme il l'a fait pour moi. Je n'ai pas de mots magiques à te dire pour te sortir de ta situation. Mais j'ai quand même une réponse pour toi. Quand j'étais dans le trou dans l'aile D, quand j'étais au bout et prêt à me suicider, qu'on m'avait dit que j'étais « fou certifiable », quand je n'avais plus d'espoir, dans la noirceur profonde de ma cellule j'ai senti que je n'étais pas vraiment seul, car Dieu était avec moi et j'avais ma foi en Lui. C'est Lui qui m'a promis que je serais un homme libre. Et je suis toujours libre aujourd'hui... même s'ils avaient tous dit que je ne réussirais jamais à rester à l'extérieur.

Alors, quand tu es au bout et que tu ne crois plus à l'avenir, prends une Bible et demande l'aide de Dieu. Je te promets que ce qu'il a fait pour moi, Il va le faire pour toi aussi.

Ton ami,

Donald

Cédric

Ce jeune non-récidiviste, intelligent, distingué, dit sa foi dans ses poèmes et ses chants. Il travaille et a repris sa place dans la communauté.

Une amie mal choisie : la drogue

T'avais grand besoin d'un coup de pouce
Elle t'a accueilli d'un coup de pied
Tu recherchais une caresse
Et tu n'as eu d'elle que des gifles

Bien déguisée pour te séduire
Elle t'a guidé pour te détruire
Jusqu'à n'en plus pouvoir dormir
Pour oublier et pour t'enfuir

Et pourtant ce cœur qui transpire
Abrite une rose qui respire
Et ses pétales n'ont de raison
Que d'embellir leur horizon
Et de veiller sur leur maison

Dans tes tempêtes et tes frissons
Tu peux honorer et bénir
Ce fruit de l'âme qui veut grandir
Ainsi apprendre à cultiver cette fleur
Qu'on ne peut t'enlever
C'est ton amour qui la nourrit chaque instant
Où tu souris

Et il y aura toujours un chemin
Où les gens te tendront la main
Pour gravir les plus escarpés de tes sentiers
    d'obscurité
Car si notre terre tourne encore

C'est qu'elle voudrait battre un record
D'amour, de paix et d'abondance
Pour ceux qui pleurent leur espérance

Et que ta foi en ce bonheur
Puisse un jour transformer ton cœur
Pour enfin dissiper tes peurs
Et embrasser tes pleurs

Cédric — Novembre 1991

Sobriété

Pour que la confusion s'écroule
Pour que les illusions s'écroulent
Il m'a fallu souffrir
Privé d'un verre si accessible
Le navré d'un rêve inadmissible
Il m'a fallu souffrir

Prisonnier de mes dépendances
Épuisé de mes abstinences
Il m'a fallu souffrir
Corps grisé de doux souvenirs
Cœur brisé d'avant l'avenir
Il m'a fallu souffrir

Méprisé par l'intolérance
Assoiffé d'un brin d'indulgence
Il m'a fallu souffrir
Dans la force et dans l'espérance
Dans la foi la persévérance
Il m'a fallu souffrir

Il m'a fallu plusieurs gestes de fermeté
Pour un geste de sobriété
Il m'a fallu croire en moi
Croire en l'avenir
Croire en la vie

Cédric — Novembre 1992

Marrainage spirituel

Étant soutenu dans mon ministère à la prison par la prière des moniales du Carmel de Montréal, celles que j'aime appeler « mes partners », j'ai remarqué une similitude entre les sœurs cloîtrées du Carmel et des hommes emprisonnés. En 1970, j'ai pensé établir un marrainage spirituel entre les Carmélites et les détenus : celui-ci se poursuit encore aujourd'hui.

Voici le nom de quelques carmélites qui ont assuré une correspondance avec les détenus :
- Sœur Louis-Marie avec Denis, grand dépressif gardé en réclusion ;
- Sœur Murielle avec Claude, condamné à douze ans de pénitencier pour meurtre ;
- Sœur Thérèse de l'Enfant-Jésus avec Gilles, condamné à mort ;
- Sœur Denise de la Vierge avec Michel et Alain, deux jeunes condamnés à de longues peines ;
- Sœur Isabelle des Anges (décédée) avec Jean-Jacques, condamné à mort et Roland, qui s'est suicidé au « vieux Pen » (Saint-Vincent-de-Paul) ;
- Sœur Marie-Thérèse de la Croix (décédée) avec Louis, mort d'une overdose. Sœur Marie-Thérèse a d'ailleurs consacré la presque totalité de sa correspondance à plusieurs détenus.

Dans une lettre de remerciement, qu'un détenu adressait aux carmélites qui nous avaient reçus lors d'une sortie pastorale, il disait :

> Alors que beaucoup d'entre nous sommes devenus des prisonniers parce que nous avons manqué d'amour, on pourrait dire que vous, vous êtes des prisonnières d'amour sans dossier. [...] Lorsque nous travaillons pour Dieu le salaire est souvent minable, mais le plan de retraite est hors de ce monde.
>
> Robert, 24 juillet 1995.

Les quelques lettres qui suivent sont extraites d'une longue correspondance entre sœur Marie-Marthe et Michel. Elles témoignent de la profondeur des échanges entre ces femmes et ces hommes cloîtrés, mais pour des raisons bien différentes.

11 mai 1971

Chère sœur Marie-Marthe,

Il me fait bien plaisir d'avoir reçu votre lettre que j'attendais avec anxiété. Eh bien, comme vous le mentionnez dans votre lettre, je suis en effet bien mal pris pour écrire à une carmélite et l'idée d'écrire à une bonne sœur ne m'était certes jamais venue à l'esprit avant mon arrestation il y a de cela quelques mois.

Mais voyez-vous, je n'ai pas tellement de correspondance avec l'extérieur, à l'exception de ma mère et de ma fiancée qui est toujours en contact avec moi, même après quinze mois. On répète souvent les mêmes choses dans nos lettres et l'on ne sait plus trop de quoi discuter à part de se dire de beaux mots d'amour qui nous font toujours plaisir à entendre.

Alors que je discutais avec le père Patry, il m'a suggéré d'écrire à une carmélite, ce qui me fait extrêmement plaisir. Dès que le père m'a remis votre lettre, je l'ai lue aussitôt et relue à plusieurs autres reprises, car il faut que je vous dise que pour moi, écrire à une carmélite est une étrange expérience, mais je suis très content de le faire et j'espère bien que vous m'écrirez encore souvent.

Vous dites que vous êtes dans une prison depuis vingt ans et que cela, vous l'avez choisi volontairement. Eh bien je ne peux que vous dire que vous êtes une femme très courageuse pour accepter un tel mode de vie. Et le plus beau de tout cela est que vous ne me dites que vous ne regrettez pas.

J'aimerais bien pouvoir vous dire la même chose de mon cas qui est sûrement très différent du vôtre car moi, je n'ai sûrement pas demandé de venir en prison. Peut-être bien que je n'ai pas fait une action très remarquable afin de l'éviter, mais j'y suis. Et moi, tout au contraire, je le regrette énormément.

Vous me dites que lorsque l'on aime quelqu'un, on veut se consacrer à lui tout entier et que pour vous, cette personne est Dieu. Eh bien encore une fois, je réponds que ce n'est pas encore là mon cas, car moi j'aime ma fiancée et pour elle, je serais prêt à me consacrer tout entier. Je ne dis pas que je me consacrerais pas à votre Dieu dont vous me parlez, mais pour moi, Dieu ne présente sûrement pas les mêmes choses qu'il représente pour vous.

Je dois subir mon procès le 17 mai et je vous suis très reconnaissant que vous vouliez bien penser à moi en cette journée qui sera sûrement, pour moi, un affreux cauchemar. De mon côté, je penserai sûrement à vous lorsque je serai assis dans le box des accusés.

Veuillez excuser mon écriture ainsi que mes fautes d'orthographe. Il m'a fait grandement plaisir d'avoir fait votre connaissance et nous aurons sûrement la chance de pouvoir encore s'écrire quelques mots.

À bientôt,

Michel

Le Carmel, 23 mai

Cher Michel,

Il me fait bien plaisir de recevoir ta lettre. Je l'ai lue, moi aussi, à plusieurs reprises et maintenant, j'ai hâte de savoir ce qui t'arrive.

Tu me permets de te tutoyer? Mon désir est de te traiter comme l'un de mes frères, si tu acceptes.

Donc c'est lundi dernier, le 17, que tu as eu ta sentence. Un affreux cauchemar comme tu le dis. J'ai bien pensé à toi depuis. Je ne cesse de prier pour toi. Quel que soit ton temps d'emprisonnement, je crois que ta bonne conduite pourra influencer beaucoup ta plus ou moins longue sentence. Si tu te montres courageux et résolu à bien faire, il me semble qu'il y aura pas de raison pour prolonger indéfiniment ta sentence et tu pourras refaire ta vie comme tout homme normal. Cela, je le souhaite ardemment, car je suis sûre que tu n'es pas un gars bien méchant et que tu pourrais rendre heureux une femme et des enfants.

Je crois que Dieu ne représente pas la même chose pour toi que pour moi et cependant, si tu aimais ta fiancée au point d'être prêt à donner ta vie pour elle, tu n'es pas loin d'aimer Dieu aussi, car Dieu est l'amour même et Il ne peut que nous porter à aimer les autres, tous les autres. C'est une des raisons pour laquelle j'ai choisi de servir Dieu ici, pour mieux l'aimer et être libre d'aimer tous les autres en Lui et par Lui.

Encore une fois, j'ai hâte de savoir ce que tu fais. Est-ce que tu as un travail régulier? Aimes-tu la lecture? Il serait tellement souhaitable que tu profites bien de ce temps que tu n'as pas choisi, mais que tu peux rendre précieux par un bon emploi de tes journées.

Merci encore de ta longue lettre. Dieu te garde Michel. Je continue de prier pour toi et ta fiancée. Que Dieu lui accorde force et courage ainsi qu'à toi.

Fraternel bonjour,

Sœur Marie-Marthe

Vendredi le 18 juin

Chère sœur Marthe,

Je suis bien content que vous vouliez me traiter comme l'un de vos frères car pour moi, vous serez ma sœur, chose que je n'ai jamais eue dans la vie avant aujourd'hui, car je suis fils unique.

Vous me demandiez si c'était le 17 mai que j'ai eu ma sentence. Eh bien non. Le 17 était la date fixée pour le début de mon procès et maintenant, j'ai été remis au 28 juin. Et ce n'est pas pour ma sentence, mais bien pour le début de mon procès. La sentence viendra bien assez vite. En fait, je crois bien que la sentence que j'aurai sera très prolongée et j'espère bien que ma bonne conduite aura une certaine influence, car ce n'est certes pas ici que je veux me faire une carrière.

Je suis bien prêt à me montrer courageux et résolu à bien faire, car je veux absolument pas prolonger indéfiniment ma sentence.

Je suis bien heureux de vous entendre dire que vous êtes sûre que je ne suis pas un gars bien méchant et que je pourrais rendre heureux une femme et des enfants. Je ne crois pas non plus être un gars méchant et j'espère que les juges auront cette même opinion de moi, car une chose est certaine, c'est que l'avocat de la Couronne, lui, pense tout autrement. Une chose est certaine : je suis persuadé d'être capable de rendre une femme et des enfants heureux et c'est bien là mon plus grand désir.

Vous savez ma sœur, si j'avais la foi autant que vous l'avez, je suis convaincu que j'aimerais Dieu comme vous l'aimez, car si l'on va par la bible, eh bien il n'est pas difficile de s'apercevoir que Dieu est un être infiniment bon et aimable. Et je me demande bien qui pourrait détester un être si juste et si bon qu'est Dieu.

Je vous remercie beaucoup de prier pour moi, car j'en ai sûrement besoin. Et je tiens à vous remercier tout spécialement pour l'égard que vous portez envers ma fiancée.

Fraternel bonjour,

Michel

Le 1ᵉʳ juillet 1971

Cher Michel,

J'ai reçu ta lettre du 29 juin. J'y réponds sans trop tarder comme tu vois.

Je me demandais bien ce que tu devenais. C'est donc bien long ces procès. J'espère que cette longue attente sera comptée sur ta sentence et que tu n'auras pas à reprendre tous ces mois de prison.

Pour ma part, ce que je trouverais ennuyeux, ce serait de ne pouvoir travailler. Il paraît qu'il y a, aujourd'hui à la prison, la possibilité de s'employer à quelque chose d'utile comme de travailler, d'apprendre un métier ou même d'étudier en vue de se préparer à une vie une fois la sentence expirée. Cela me semble très important car comme tu le dis, on ne peut se tailler une carrière en prison. Mais on peut s'y préparer et je suis heureuse que tu sois décidé à te montrer courageux et résolu à bien faire.

Vous pouvez lire aussi sans doute. As-tu de bons livres intéressants? Si tu n'en as pas, je pourrais probablement t'en envoyer quelques-uns par le père Patry.

Tu me donnes un détail sur ta famille : tu es fils unique. Comme tu dis, ce sera du nouveau pour toi d'avoir une sœur. Cela me fait plaisir. Chez nous, au contraire, nous étions nombreux. Nous sommes encore onze vivants : cinq garçons et six filles. Aujourd'hui, nous sommes presque tous mariés ou consacrés à Dieu. J'ai déjà vingt neveux et nièces et pourtant, je n'ai pas quarante ans.

Nous avons dû travailler très fort pour pouvoir nous débrouiller dans la vie, car nous étions pauvres et en plus, ma mère est morte jeune. À son décès, l'aîné n'avait que 17 ans et la dernière en avait deux. Si je te dis tout cela, c'est pour te signifier qu'il me ferait plaisir aussi de te connaître un peu du point de vue familial, mais libre à toi de me dire ce que tu veux.

Et le 28, on a continué votre procès. Il y en aura sans doute un prochain jour où on le continuera.

Comme je vous souhaite patience et courage. Je t'assure que tu en as plus que moi dans les circonstances. Je suis sûre que si tu persévères dans tes bonnes résolutions, tu ne regretteras rien.

Dieu te garde cher Michel. J'espère que tu vois de temps en temps ta fiancée. Est-ce que ta mère peut aller te visiter? Je leur adresse, à toutes deux comme à toi, mon meilleur bonjour.

Sœur Marie-Marthe

Le 6 août 1971

Chère sœur Marie-Marthe,

Il me fait plaisir de répondre à votre lettre et j'espère que vous excuserez mon retard à vous répondre. Ce n'est pas que je vous avais oubliée. Tout au contraire, je pense à vous de temps à autre. Mais voyez-vous, le père Patry était parti en vacances et, comme vous le savez, c'est lui qui s'occupe de ma correspondance avec vous.

Mais maintenant qu'il est de retour, eh bien je vais vous écrire immédiatement, car j'ai bien hâte d'avoir de vos nouvelles.

Eh bien, comme vous dites, c'est bien vrai qu'il est long ce procès, mais maintenant, c'est chose réglée car j'ai plaidé coupable au vol à main armée ainsi qu'à la tentative de meurtre qui pesaient contre moi. Mais voyez-vous, même si j'ai plaidé coupable à la tentative de meurtre, je n'ai quand même pas tiré un seul coup de feu étant donné qu'au moment de la fusillade, je n'étais même pas armé. Mais voyez-vous, dans le code pénal, d'après l'article 21 qui dit que « celui qui tient la poche est tout aussi coupable que celui qui la remplit », alors automatiquement, j'aurai probablement été trouvé coupable. Alors, vous savez la suite.

Maintenant, il ne me reste plus qu'à attendre au 29 septembre, journée où le juge donnera sa sentence. Mon avocat m'a dit que j'attraperais probablement de quinze à vingt ans de détention, ce qui est très dur pour moi à envisager. Quelquefois, je me demande si j'aurai le courage de l'accepter. J'en doute fort, mais l'avenir me le dira.

Hélas, ce qui est pour le temps que j'ai déjà fait ici, soit dix-huit mois, je ne crois pas que cela comptera, ce qui ne m'encourage point en partant.

Eh bien oui, il y a possibilité à la prison aujourd'hui de travailler ou bien d'aller à l'école. J'opterai sûrement pour l'école, car je n'ai qu'une 8e année scolaire, ce qui n'est pas une réussite.

Oui on peut lire et même, c'est là l'un des meilleurs passe-temps ici. Ça me ferait grandement plaisir si vous voulez bien m'envoyer de la lecture, de préférence, si vous en avez sur la réincarnation ou la mort, car la mort est un sujet qui m'intrigue beaucoup. Même que quelquefois, ça me fait peur et d'autres fois, lorsque j'y pense, ça me donne envie de rapprocher cette date à laquelle tout être vivant doit arriver un jour.

Je suis bien content que vous m'acceptiez comme votre frère. Il y a quelque chose que je veux vous dire maintenant: que je suis de la parenté et que si chez vous vous n'avez jamais eu de mouton noir, eh bien vous en avez un maintenant.

Oui, comme vous dites, je suis de descendance italienne, mais beaucoup plus Canadien qu'Italien. Mon père est né au Canada, d'un père italien et d'une mère canadienne. Et ma mère à moi est aussi Canadienne. Mais le nom est ce qu'il y a de plus italien en moi.

Oui, je vois continuellement ma fiancée à toutes les semaines et ma mère vient avec elle à toutes les deux semaines, ce qui me fait un bien énorme à chaque fois que je les vois toutes les deux, car c'est sûrement les deux êtres que j'aime le plus dans ce monde que je trouve parfois bien ingrat. Je leur ai fait des saluts à toutes deux de votre part et vous saluent également. Elles sont très contentes de voir quelqu'un d'autre aussi penser à moi et veuille bien communiquer avec moi.

Fraternel bonjour,

Michel

1er septembre 1971

Cher Michel,

J'ai lu avec beaucoup de plaisir votre dernière lettre datée
du 6 août. Le père Patry me l'a apportée un peu plus tard,
mais je savais qu'il était en vacances. Donc cela ne m'a pas
surprise.

Vous avez enfin la date qui vous fixera définitivement sur
votre sentence. Peut-être l'attendez-vous avec un peu
d'angoisse. Ce ne serait pas étonnant car, comme vous le
prévoyez, ce ne sera pas gai. En tout cas, vous pouvez être
sûr que je penserai à vous particulièrement ce jour-là et
que je prie Dieu qu'il vous garde en vous donnant courage
et force pour affronter, en homme responsable et digne,
cette sentence redoutable.

Ce qui est sûr, c'est que vous pouvez faire de ces années
de prison un temps des plus propices pour vous cultiver,
pour vous perfectionner dans beaucoup de domaines. Il y
a toujours moyen de trouver le meilleur parti dans tout ce
qui nous arrive. Par-dessus tout, j'espère avec vous et pour
vous que votre comportement vous vaudra une moindre
sentence que celle que vous redoutez ou que du moins,
on la diminuera avec le temps.

J'ai bien cherché des livres qui pourraient vous intéresser.
Par le père Patry, je vous en envoie trois. Je ne sais pas
jusqu'à quel point ils vous plairont. Ils vous parleront
un peu de la mort, peut-être surtout de la Résurrection.
Il est possible que vous trouviez certains textes difficiles
ou même incompréhensibles, mais vous pourrez demander
des explications au père Patry.

Vous me dites que vous avez peur de la mort. Je le comprends un peu. Quand on ne sait pas ce qui vient après, il est normal de redouter. Cependant, je crois qu'elle paraît moins pénible à ceux qui ont la foi en Dieu, car même si on ne sait pas tout, on sait que Dieu est un père et qu'il ne peut désirer que notre bien. On apprend surtout, peu à peu, à lui faire confiance, à tout espérer de sa miséricorde, y compris le salut et la grâce de mourir en paix avec Lui. Enfin, je suis sûre que tout cela vous sera donné quand ce sera le temps. Vous pourrez garder les livres aussi longtemps que vous avez besoin pour les lire et ensuite, vous les donnerez au père Patry qui me les rapportera. Si vous en désirez d'autres, j'essaierai de vous en trouver. Ça va?

Mais oui je vous accepte toujours comme frère sans vous croire pour autant mouton noir. On ne choisit pas toujours son destin, encore qu'on puisse l'améliorer avec le temps et la bonne volonté.

Je crois que j'avais commencé à te dire «tu» et voilà que j'ai déjà oublié. Mais vous me le pardonnez? Tu sais, tu peux aussi me tutoyer. J'y suis habituée, cela m'empêchera d'oublier.

Eh bien je te dis mon meilleur bonjour en espérant ce qu'il y a de mieux pour toi.

Bien sincèrement,

Sœur Marie-Marthe

Michel a été condamné à quinze ans de pénitencier.
Sœur Marie-Marthe a quitté le Québec pour fonder un nouveau Carmel à L'Île Maurice. Ils correspondent toujours.

À un certain éditorialiste

Vous qui nous assassinez sans raison
De la violence de votre crayon
Par votre langage carnivore qui
Petit à petit nous dévore
Ce peu de bon demeurant dans nos cœurs
Votre sorte de haine malsaine
Me rive aux heures anciennes
Et c'est plus fort que moi
Je m'écœure

Quand vous, vous aurez jeté votre hargne
Et que vous serez à cours de venin
Contre nous qui vivons dans ce bagne
Osez faire un tour un matin
Voir des humains
Souffrir en silence
Vous révolteront aussi je pense

Pierre

Denis

Lorsque j'ai connu Denis, il n'avait que dix-neuf ans. Sa vie a basculé lors de sa séparation avec sa conjointe. Vivant de profondes dépressions, il fut traité à l'institut Pinel. Ses nombreuses entrées et sorties de prison le démoralisaient. Il est souvent venu habiter chez moi, dans ma « piaule » que je tenais, rue Laval. À sa dernière sortie de prison, il a dit à ses codétenus : « À ma sortie je vais me suicider. N'en parlez pas au père Jean, Il pourrait m'en empêcher. » Personne ne m'en a parlé. Denis s'est suicidé dans sa petite chambre à Montréal.

Drummond 01, Janvier, '88

Bonjour à toi Père Jean.

Je suis profondément content de recevoir un peu de tes nouvelles, car il m'arrive souvent de penser à toi en me demandant ce que tu deviens. D'ailleurs je t'avais écrit une lettre l'été dernier et n'ayant reçu aucune réponse je m'inquiétais pour ta santé.

En ce qui me concerne, rien ne change. C'est toujours la même roue qui tourne depuis que tu me connais. Je vis d'espoir et d'illusions, je suis des thérapies en croyant m'en sortir et comme toujours, dès que j'approche du dehors, tout se brise et je reviens dans cette réalité d'enfer qui est mienne.

En octobre j'ai obtenu une libération de jour et un transfert au B-16. Je me suis évadé et commis d'autres vols. Je n'ai même pas eu le temps de sortir et de terminer ma sentence, qu'une autre m'attend ce mois-ci !

Ma vie n'a jamais eu aucun sens. Je ne crois plus en rien, plus rien ne m'intéresse, je ne fais plus aucun projet. Tout serait encore une fois inutile et si douloureux. Rassure-toi mon ami, je n'ai ni l'intention, ni le cran de mettre fin à cette vie. Mais cependant, je compte les années vécues et j'espère ne pas en avoir encore autant à vivre. Tout ce qui me reste à espérer, c'est que dans une autre Vie je puisse avoir la chance de renaître dans une famille qui saura m'aimer et me donner confiance en moi et en la Vie.

Ces choses-là il faut les vivre de l'enfance à l'adolescence. Si ce n'est pas fait, aucun psychologue ou psychiatre ni qui que ce soit ne peut rien y changer.

Il existe des maux physiques incurables, il en va de même pour mon mal à moi. Les blessures sont trop profondes. Tu sais Jean ce n'est pas ce que tu crois ; je ne suis pas découragé, sauf que cette fois-ci je me suis réveillé et j'ai compris que mon problème ce n'est pas la drogue. Tant de thérapeutes m'ont influencé en semant de l'espoir. Mais depuis peu j'ai réalisé la réalité et j'accepte désormais ma vie. C'est-à-dire la solitude dans la sécurité des prisons. Je sais que je ne suis pas lâche et je n'ai pas le sentiment d'abandonner, mais tout simplement d'accepter ce que je ne puis changer. J'ai tout essayé du fond de moi je le sais.

Je n'ai personne à qui parler de ces choses et je refuse d'en parler à quelqu'un d'autre, car on essaiera encore de m'endormir et de me faire croire que je refuse de m'aider car ce sera leur devoir d'agir ainsi, tout simplement, même si en eux-mêmes ils savent que j'ai raison.

Mon ami, c'est triste à dire mais j'ai vraiment perdu la joie de vivre et des choses de la vie. Plus rien ne me fait vibrer et ne m'atteint, je me sens dans un état de torpeur, où les gens et les choses se passent à côté de moi sans me faire réagir.

Si je t'ai écrit, c'est par politesse car je ne pouvais concevoir de ne pas répondre à ta carte. Mais aussi parce que je ne peux pas rester indifférent à toi. Dans mon cœur tu resteras toujours mon ami en raison du passé, le seul être que j'ai considéré comme tel.

Je connais ta bonté et ton rôle auprès des désespérés mais je t'en prie Jean ne fais pas comme les autres en essayant de me faire croire à la beauté de la vie, et que tout peut changer. Si tu désires tu peux m'écrire pour me donner de tes nouvelles. Depuis quelque temps, nous avons perdu contact en quelque sorte. Il me ferait plaisir d'entretenir une correspondance avec toi.

Je passe en cour à Montréal le 11 Janvier, je serais donc à Parthenais quelques jours avant et après cette date. Si ton numéro est toujours le même je t'appellerais.

Porte-toi bien.

Amitié.

Denis

Richard

Un gars aux capacités intellectuelles remarquables, Richard était tenaillé par son démon intérieur : l'alcoolisme. Il n'a jamais accepté de reconnaître sa maladie, qui l'a pourtant conduit plusieurs fois à Bordeaux et au pénitencier. Il est décédé chez lui à l'âge de 60 ans le 3 janvier 2011, d'une cirrhose.

Vendredi, 5 avril 1973

Bonjour curé,

J'ai reçu ta lettre au retour de mon congé. J'avais espéré la recevoir avant de sortir, ce ne fut malheureusement pas le cas. De toute façon, je suis bien heureux que tu te sois enfin décidé, après seize mois sans nouvelles.

Je ne te cache pas que j'étais sur le point de t'envoyer te faire cuire un œuf autrefois. Bien que les mois de prison aient altéré ma personnalité d'antan, j'en ai quand même gardé quelques fragments comme tu peux le constater.

Je choisis mon monde, je ne laisse pas les gens me choisir. Je vais débattre, dans le courant de la semaine, quelques points qui me tiennent à cœur tels que l'obtention d'un cours en électronique et un autre point que je te laisserai pour le moment, car je désire garder l'élément surprise de mon côté.

J'ai acquis, au cours des derniers mois, une subtilité étonnante à tel point que je me dépasse quelquefois.

Sois bon,

Richard

PS Pour ce qui est de tes prières, elles ne me nuiront sûrement pas. Par contre, ce n'est pas le Saint-Esprit qui m'a amené en prison. Ce n'est donc pas lui qui va m'en sortir. Salut.

Noëls en prison — Marc

Ce soir

Ce soir, j'ai souvenir de cent arbres. Je revois aussi mille boules et millions d'étoiles. Mais j'ai peine à me souvenir d'une : celle des Rois mages.

Ce soir, j'ai aussi souvenir d'un enfant, un homme, un Dieu, né maintenant, ce soir, il y a deux mille ans, mais présent même si oublié sous l'or, l'encens et la myrrhe. Ô comme il faut parfois peu pour effacer un souvenir ! Et que signifient donc ces verbes aimer et vivre ?

Ce soir, je me souviens. Je sais la joie, l'amour et les plaisirs quand nous avions toute une nuit fêté dans la paix, la joie de vivre. Mais ce soir, de t'avoir fêté, j'ai peu de souvenirs, sûrement parce que tristement, Tu n'y étais pas.

Ce soir, dis, recommençons tout. C'est ta fête, Tu nous y invites. Notre présent, notre vie, on te les confie par amour, Seigneur notre Dieu, Jésus-Christ.

Marc — Noël 1978

Gérard

Dans un moment de folie, Gérard tue trois personnes. Il est condamné à la prison à vie. Son cheminement spirituel lui a fait découvrir Dieu-Amour. Sa vie ne sera plus la même. Il témoigne de sa foi dans le texte qui suit.

Dieu pour moi c'est la brise, le souffle qui rafraîchit pendant que nous traversons ce désert torride qu'est la condition humaine. Lorsque tu essaies de te saisir de cette brise rafraîchissante pour la garder pour toi seul, elle t'échappe. Tu essaies une fois, deux fois, trois fois puis tu renonces à te saisir de ce souffle si fugitif. Lorsque tu as enfin compris que ce souffle n'est pas à toi seul mais que tu dois le partager avec tous tes frères et tes sœurs, le souffle de fraîcheur fait son nid en toi… tu découvres alors le sens de Dieu et de ta vie qui consiste uniquement à communiquer ce souffle de vie à tous tes frères qui cheminent péniblement dans ce désert torride. Une fois que tu as compris cela, tu dois le vivre et le partager avec les autres humains.

Gérard — Février 1981

Carte de Noël 1976

Cher ami, père Jean,

En cette grande occasion puis-je me permettre de vous envoyer mes salutations et mon affection typiquement québécoise !

Gérard

Cyrille

Felquiste dans les années 1960, Cyrille est accusé de complicité de meurtre au deuxième degré. Il est condamné à perpétuité. Libéré après dix-sept ans de prison, il épouse une amie juriste qui le visitait au pénitencier. Marié depuis près de quarante ans, ils ont eu six enfants qui ont tous et toutes des diplômes universitaires. Il a fait carrière en informatique et est maintenant retraité. Je suis devenu « chapelain » de leur famille.

Voici la lettre qu'il me faisait parvenir du pénitencier, me faisant part de ses états d'âme envers celle qui deviendra son épouse.

Bonjour Jean,

Actuellement je te suis un « parfait » inconnu, mais non, Dominique t'a sûrement parlé de moi.

De même, un de tes Amis, Normand C. m'a déjà parlé de toi.

Nous ne nous sommes jamais vue et pourtant nous comptons des amis communs. J'ai intitulé cette lettre Paix, Amour car depuis la Saint-Valentin, patron des Amoureux, j'ai rencontré une jeune fille que je trouve « exquise », je l'aime, je suis sûr qu'elle m'aime. Nous nous aimons et nous voulons Nous épouser.

Dans le but de te parler de Notre Projet, j'aimerais bien te rencontrer, ici même, à l'institution Leclerc, le plus tôt possible. Normand C. désire vous rencontrer, itou.

Dominique est une chrétienne authentique, je respecte profondément sa Foi. Quant à moi, je suis un peu anglican, un peu athée, etc. Mais je me sens « religieux » c'est-à-dire je pratique l'Amour de mon prochain. Je ne possède pas la Foi en une telle religion, je respecte la Foi de chacun, mais l'essentiel c'est l'Amour, «apprendre à aimer» devrait être pour chacun de nous le but de la Vie. Seul l'Amour donne un sens à la vie. Soit l'Amour d'une seule personne, soit l'Amour du prochain, soit l'Amour de la Justice, l'Amour du Bonheur social. Pour moi l'Amour c'est l'autre; dans sa Liberté, c'est lui permettre de s'épanouir.

Je vous ai tracé les grandes lignes de ma «Vision du monde», pour te permettre de me connaître davantage.

Souvent Dominique et Normand C. m'ont souvent parlé de toi. Naturellement en bien.

Alors j'ai d'autant de plaisir de t'écrire ces quelques lignes. J'ai donc hâte de te connaître. Excuse-moi si je te tutoie, le dialogue en est plus ouvert, plus facile.

Espérant de te voir bientôt.

Accepte mes salutations fraternelles.

D'un prisonnier-Amoureux.

Cyrille

Jacques

Une simple erreur sur le nom d'un détenu m'a permis de correspondre avec Jacques.

1er juin 2001

Bonjour Monsieur père Jean
ou Monsieur André Patry,

Je suis Jacques M. du pénitencier de Donnacona. J'ai reçu votre carte de souhaits pour une deuxième année. Soit qu'il y a deux Jacques M. ou soit que je vous ai oublié, mais après vérification, je n'ai pas trouvé un autre Jacques M. dans le pénitencier. Même si cette carte de souhaits n'était peut-être pas pour moi, je trouve cela très gentil de votre part de penser aux détenus, car cela fait longtemps que je n'ai pas reçu de la gentillesse de la part d'une autre personne.

Tout ce que je vis ici est de la haine et du mépris parce que je clame mon innocence. Depuis cinq ans, je suis en prison pour menaces de mort au téléphone et plus que je me clame mon innocence, plus qu'on dit de moi que je suis un tueur. Cela est très dur à supporter et extrêmement destructeur psychologiquement.

J'ai bientôt fini de purger ma peine, mais mon cauchemar est loin d'être fini. Il n'est même pas encore commencé, mais cela serait trop long à expliquer.

Jacques

Je lui ai envoyé des cartes jusqu'à la fin de sa sentence.

Paul

À le voir, il pouvait faire peur! Paul était un colosse. Je l'ai connu à Bordeaux, alors qu'il était en attente de procès. Sans famille, il voulait vraiment s'en sortir et prenait tous les moyens pour y arriver. Pour moi, c'était un gars vrai. Après son transfert dans un pénitencier de l'Ouest canadien, j'ai reçu quelques lettres: depuis, silence. Je n'ai jamais cessé de prier pour lui.

30 mars 1983

Salut père Jean,

Pour moi, ça se résume assez vite. J'ai eu sept ans l'année passée pour trafic de PCP. Maintenant, je fais partie du comité des détenus, je suis des cours de sciences humaines et je m'entraîne à la course et mon moral est assez bon. J'ai été accepté sur un programme à Pinel et je devrais y aller très bientôt j'espère.

Puis toi, ça va? «Tu es toujours le braconnier de Dieu dans la forêt du diable?» pour citer Victor Hugo mais à l'envers.

Amicalement,

Paul

2 février 1989

Bonjour père Jean,

Ou plutôt bonsoir car il approche minuit. Alors j'en déduis
que c'est le soir.

D'abord, je veux que tu saches avec quel plaisir je reçois
de tes nouvelles. Le souvenir que je garde de toi est celui
d'un homme chaleureux, sincère, avec beaucoup d'humour,
un homme qui accepte les autres comme ils sont, sans
les juger ou même essayer de les changer sinon par tes
prières, mais jamais de façon directe et avec insistance.

Tu me dis que tu es toujours à Bordeaux vieux bagnard,
mais tu ne me parles pas de tes autres activités auprès des
nombreux défavorisés de tout acabit: alcooliques, drogués,
prostituées, etc. Je sais que tu as dépensé de l'énergie avec
eux, et peut-être trop même, au point de diminuer ta santé.
Si je te parle de ça, c'est qu'il m'arrive parfois de penser
qu'un jour peut-être que je pourrais t'être utile dans ce
domaine avec mon expérience. Peut-être que ma crédibilité
serait assez facile à établir avec les pauvres malheureux.
Qu'en penses-tu?

Rassure-toi. Je suis pas comme saint Paul sur le chemin
de Damas. Tu connais ma religion ou plutôt mon manque
de religion? Mais j'ai quand même une conscience et un
certain besoin de faire un peu de bon et de bien. Peut-être
est-ce un désir inconscient pour compenser pour le mal
que j'ai fait dans ma vie? Je ne sais vraiment pas, mais une
chose que je sais c'est que le désir est présent et réel. Je
sais que j'ai du potentiel et beaucoup d'énergie à dépenser.
Je veux essayer graduellement, tranquillement pas vite,

de m'éloigner de la vie du crime et de celle de la drogue, mais je suis conscient que je devrais remplir ce vide par des intérêts nouveaux où je me sentirais valorisé. Alors j'ai pensé: « Pourquoi pas t'aider à faire un peu d'éducation et de prévention auprès des jeunes et des moins jeunes? » Je veux pas aller prêcher, mais plutôt leur parler de ma vie, ma jeunesse, mes souffrances, mes misères, mes espoirs et mon désespoir, et comment j'ai survécu à tout cela.

Donne-moi de tes nouvelles quand tu auras la chance.

Ton ami qui t'aime bien,

Paul

Louis

J'ai connu Louis lorsque l'institut Pinel logeait dans l'aile D de la prison de Bordeaux. Âgé de soixante ans, possédant une grande culture, il était un phénomène : il faisait, entre autres, la promotion de l'*esperanto* ! Son seul problème : il se prenait pour le Christ-Roi ! Il me rencontrait chaque vendredi après-midi pour une demi-heure pour me raconter une nouvelle tranche de vie.

5 mars 1969

Institut Philippe-Pinel

Révérend Père,

Vous êtes venu saluer, hier, les ouailles de votre nouveau champ d'action. Vous n'avez pas pu ne pas éprouver combien le barbu du quatrième étage était heureux de vous accueillir.

Je suis immergé de l'enseignement de saint Paul. Pourtant, un nuage bien noir vient de s'abattre sur cette beauté précipitée. Je lis, dans un traité sur le sacerdoce de l'abbé Berthier : «Hélas si on interrogeait les réprouvés, combien accuseraient comme étant les auteurs de leur perte ceux qui devaient les sauver ? »

Je souhaiterais une entrevue avec vous pour déterminer si je dois aller à droite ou à gauche, car il y a pour le moins douze ans que je n'ai pas fait mes Pâques. Ce n'est pourtant pas que je ne crois pas en la religion, mais bien uniquement en raison des circonstances. Si vous accédez à ma demande, j'estime que l'endroit le plus propre serait ma cellule parce que nous aurions tout sous la main pour une bonne explication. Mais à défaut, ce sera encore n'importe où.

Bonne chance dans votre ministère que saint Paul exerçait dans la crainte et le tremblement.

Louis

Mao

Jeune étudiant à l'Université McGill, on l'affublait de ce surnom à cause de ses origines asiatiques. J'ai fait sa connaissance, en janvier 1973, alors que j'allais rencontrer son voisin de cellule pour lui annoncer le décès tragique d'un ami, Jacques, ex-détenu. Voyant ma peine, Mao m'a envoyé la lettre qui suit.

Le 26-01-1973

Père Jean,

Durant notre brève rencontre hier, j'ai aperçu dans la durée d'une fraction de seconde que la nouvelle tragique pesait fondement sur vos épaules. J'ai senti que vous réagissiez avec beaucoup de peine, et de douleur profonde. Une nouvelle inattendue si grave, incompréhensible et même difficile à accepter comme reliée à une action humaine.

Pour ma part, je ne saisirai jamais qu'une rancune puisse pousser un homme à commettre une telle action. Il est bien difficile pour moi et je devine qu'il en est ainsi pour vous d'accepter cet événement comme une réalité.

Dans mon état d'esprit troublé, j'ai prié avec beaucoup d'émotion afin que le Seigneur nous écoute et vous guide durant cette période difficile qui trouble votre calme.

Vous qui êtes exposé à subir fréquemment des expériences aussi délicates et en même temps si écrasantes.

Avec amour et sincérité

Mao

PS : Veuillez m'excuser de vous avoir demandé de me renseigner sur mon affaire du téléphone à un moment si inapproprié, l'annonce de la mort tragique de Jacques assassiné à Saint-Basile. Lorsque je vous ai vu, je ne vous voyais pas comme père Jean ou une personne qui souffre, mais comme le Seigneur Jésus Christ portant sa croix... Ça m'a beaucoup marqué, ça m'a changé.

Très touché par cette lettre, je l'ai reçu à mon bureau. À la suite de cette rencontre, nous avons créé un groupe d'adoration et de méditation chrétienne qui se réunissait chaque semaine, dans la petite chapelle du Saint-Sacrement. Ce groupe a duré trente-cinq ans.

Roland

Emprisonné depuis vingt ans au vieux pénitencier de Saint-Vincent-de-Paul, Roland était le protégé de madame Pauline Vanier, épouse du gouverneur général du Canada, Georges Vanier, et mère de Jean Vanier. Elle avait adopté Roland comme son propre fils, et c'est par elle que je l'ai connu. Érudit, agréable de compagnie, je lui rendais visite régulièrement. Il finira par se suicider. À ses funérailles, bien tristes, nous n'étions que six personnes : ses deux sœurs religieuses s'étaient déplacées pour l'occasion, ainsi que madame Vanier. Dans les deux lettres qui suivent, la première, adressée à madame Vanier, répondait à sa demande de me laisser aller à sa rencontre.

Montréal, le 21 juin 1970

J'ai bien reçu votre lettre et je vous remercie.
Je reconnais que vous dites de grandes vérités.
Je reconnais même qu'il me faudrait que je fasse un effort quelconque pour me sortir de cette apathie, car au point où j'en suis, je ne suis ni triste, ni heureux. Je me sens complètement vide, mais voilà pourquoi ? Pour quoi ?

Chaque jour, je suis un peu plus révolté contre le sort injuste qui m'est fait. Bah ! J'essaie de ne pas penser au lendemain. Évidemment, tout le monde s'imagine que parce que j'ai traversé autant d'années de misère et d'injustice, je dois forcément être encore capable d'endurer encore bien d'autres choses. Mais le courage s'épuise avec les ans et il arrive un moment où on devient insensible aux belles phrases philosophiques.

J'estime qu'il ne faut pas attendre de devenir une loque humaine avant d'en finir. Vous savez aussi bien que moi que quand notre vie n'a plus aucun sens, aucun but, aucun idéal, il vaut mieux se retirer. Certes, tant qu'il y a de la vie, il y a de l'espoir, mais encore faudrait-il savoir pourquoi espérer. Oui je sais, la foi bien sûr. Quoique je ne suis pas dans cette ambiance très propice pour me diriger dans cette voie. Ce qui me fait penser à vous dire que je recevrai votre père Jean s'il vient et cela peut sûrement pas me faire du tort.

Roland

Le 2 janvier 1971

Bonjour,

Vous êtes mon premier correspondant cette année. Je dois vous tenir en haute considération. Le fait est que je me sens un peu découragé et mon subconscient me guide vers vous. Les prêtres doivent dispenser le courage, oui. Mais malheureusement, j'ai plutôt tendance à faire le procès de ces messieurs que de leur demander courage.

J'ai lu le *Journal d'une âme*. C'est madame Vanier qui m'avait prêté le volume. Par contre, si vous mettez la main sur le livre *Un artiste et le pape*, j'aimerais bien le lire. J'ai lu des extraits de ce volume dans le *Times* et le *Reader's Digest*. Ce livre est un best-seller. Cet artiste a fait le buste de Jean XXIII et raconte ses dialogues avec le pape. Ce qui est intéressant c'est que cet artiste est communiste et athée et il est revenu à la religion après la mort de Jean XXIII.

Quand je serai rendu à Pinel, j'ai l'intention de l'acheter car ici, il existe une procédure si compliquée. Je préfère m'abstenir d'en parler, car je sens la moutarde me monter au nez. C'est à corps défendant que j'ai pu lire certains volumes, car on est encore à l'époque où il fallait demander la permission au curé pour lire *Maria Chapdelaine*.

Je n'ai jamais vu un système aussi rétrograde et aussi compliqué. C'est à vous décourager de toute initiative. Ce qui me choque, c'est la perversité de certains esprits chagrins qui, imbus de fausse supériorité, cherchent à compliquer les choses par des avis et des idées invraisemblables alors que c'est si simple d'agir avec du bon sens. Ce n'est pas surprenant que je suis devenu fou aux trois quarts.

J'ai passé de tristes Fêtes. Je n'ai pratiquement pas dormi. Aussi, j'ai lu une partie de la nuit de Noël et celle du jour de l'An. Heureusement qu'on avait laissé les lumières ouvertes pour la nuit.

J'ai lu une biographie de Richelieu qui m'a beaucoup fasciné. Cet homme était vraiment un grand politique, surtout si on le compare à son successeur Mazarin. J'en ai appris une autre chose : qu'il n'était pas nécessaire d'être prêtre pour devenir cardinal. Le saviez-vous ? Dieu sait que j'ai un tas de livres sur l'Église, mais j'ignorais ce détail.

Je vous quitte en vous souhaitant de la patience. Votre poste n'est pas une sinécure. Je n'ignore pas quel travail vous faites. Cela nécessite plus que de la patience, mais aussi beaucoup de courage.

Je vous souhaite aussi beaucoup de santé et de bonheur.
Vous êtes en tout temps toujours le bienvenu. Je présume
que cela vous sera plus commode quand je serai à Pinel.

Roland

Dimanche, 15 novembre 1970

Bonjour,

Laissez-moi d'abord vous remercier pour votre visite. Dans
la mesure où vous ne voudrez pas me convertir, vous serez
toujours le bienvenu.

Je ne suis pas contre la religion, bien au contraire. J'envie
les gens qui ont la foi : ils sont heureux. Mes parents nous
ont élevés dans la foi catholique, j'ai deux sœurs qui sont
religieuses et toute ma famille pratique la religion. Je suis
le seul mouton noir de la famille.

J'ai des amis qui sont tous croyants. C'est curieux de voir
que les amis les plus sincères sont de religion catholique :
madame Vanier, madame Jones que vous connaissez assez
bien et d'autres que vous ne connaissez pas. Il ne faut pas
oublier les Carmélites qui m'ensevelissent sous un tas
d'images et de médailles. Je les aime bien quand même, car
elles m'apportent beaucoup d'encouragement, car il n'est
pas facile de vivre sans trop d'espoir dans l'avenir.

On peut pas facilement croire en un Dieu infiniment bon
quand on voit autant de malheurs et de misère. Trop de
mes amis se sont suicidés ou sont devenus des loques
humaines pour que je puisse croire en quelque chose.

J'ai de la difficulté de croire en l'Homme. Que voulez-vous qu'on fasse de bien quand toute votre vie est une suite ininterrompue d'échecs?

J'ai fait l'expérience de tant d'échecs que je ne crois plus en l'avenir. J'ai probablement tort de me plaindre, car mes amis ont tenté l'impossible pour me venir en aide. Si j'avais été plus courageux, j'aurais peut-être réussi à recommencer ma vie, mais voilà, le courage, ce n'est pas une denrée qu'on achète au magasin du coin. Il aurait fallu qu'on tienne compte que j'ai dépensé une bonne dose durant ces vingt années d'incarcération. C'est pourquoi mes efforts furent inutiles. De toute manière, j'étais battu d'avance et je sens bien que ma misérable existence finira aussi mal qu'elle a commencé.

J'ai aussi un autre avantage: c'est que je sais que je suis un raté et que je mettrai fin à cette vie quand ça me conviendra. Je ne tiens pas à devenir une loque humaine; c'est complétement idiot. Avant d'en arriver là, j'ai décidé depuis longtemps de choisir mon heure. Il me semble qu'on est plus en paix quand on sait de quelle façon et quand on mettra fin à nos jours. Choses certaine, je ne mourrai pas dans un lit d'hôpital, mais c'est là un sujet peu réjouissant.

Encore une fois, je vous remercie de votre visite et soyez le bienvenu quand vous voudrez. Ça me fera plaisir de vous voir.

Bien à vous,

Roland

Noëls en prison – Marc

Noël 1978

Comme si

Comme si en naissant ce soir, déjà tu savais qu'un jour nous réaliserions qu'il y a plus que le mystère de vivre lorsque enfant Tu nous arrives.

Comme si ce soir était le début, le commencement de tout, même de nous, qu'il nous faudra maintenant chaque jour recréer pour, comme Tu nous l'as montré, communier à ton unité.

Comme si maintenant, plus rien du passé n'existait : plus de jour, plus de nuit, plus de goût et plus d'ennui, que de vouloir vivre ensemble en lumière et surtout, plus de ces subtiles hypocrisies où nous croirions te mentir comme hier.

Comme si seulement ce soir, en naissant, Tu rendais tout cela réel et vrai par l'amour.

Comme si, merveilleusement ce soir en naissant, Tu nous faisais immortels en ta paix pour toujours.

Comme si enfin ce soir, Tu venais nous dire que tout, depuis le premier jour, existait, mais que nous, à la recherche d'illusions, nous ignorions même le Seigneur que nous recherchions.

Comme si... Mais non, ce soir c'est vrai. Il est né l'Enfant divin. Ne le recherchez ni en hier, ce soir ou demain. Souriez, Noël, plutôt à Dieu et à votre voisin.

Marc

Jean-Claude

Je ne me souviens plus très bien à quelles occasions Jean-Claude et Yvan m'ont fait parvenir ces témoignages. Il me semble qu'ils furent écrits pour la visite en prison de jeunes étudiants du secondaire et du cégep. L'un et l'autre expriment bien les défis que rencontrent certains détenus pour ne pas récidiver et redonner un sens à leur vie.

Le 18 juillet 1972

Mes impressions sur la prison et sur la vie

Pour moi, la prison, je peux dire que je la connais assez bien, car depuis que je viens dans cet endroit, j'ai beaucoup l'esprit observateur. Alors je pense que je peux vous dire ce qu'un jeune homme de mon âge peut ressentir en prison.

Moi j'ai 19 ans et je suis venu ici pour la première fois à l'âge de 17 ans. Je peux dire que cela n'était pas drôle pour moi d'être ici, car j'étais classé parmi des hommes plus âgés que moi. Et je crois que vous pouvez imaginer de quel genre de discussions que nous avions ensemble, car ces hommes – je ne veux pas dire tous – mais la plupart sont des gars qui ne veulent rien savoir de personne et qui nous donnent des conseils qui ne sont pas du tout à prendre.

Il y a par contre un homme qui s'occupe de nous comme il peut, car les autorités de cette prison lui empêchent beaucoup de choses. Même si cet homme est un prêtre, je vous dis cela, ce n'est pas pour moi, mais pour vous les jeunes de mon âge, car je peux vous dire une chose: si vous avez de bons parents et que vos parents s'occupent de vous, n'allez pas faire une bêtise pour vous retrouver en prison, car ce n'est pas un endroit pour personne.

Je vous dis cela car j'ai passé par tout ce que je vous ai dit dans quelques lignes et maintenant, je ne veux pas que d'autres souffrent de ce que j'ai souffert ici, car dites-vous bien que lorsque vous venez en prison, vous perdez vos amis et qu'il n'y a plus que des personnes non recommandables près de vous pour vous influencer et vous guider sur la voie du crime.

D'un jeune homme qui a beaucoup souffert de cette expérience en prison,

Jean-Claude

Yvan

17 avril 1983

Ce qui m'a conduit en prison

Ce qui m'a conduit en prison, c'est le manque d'amour, la solitude, le froid, la faim, l'apitoiement sur moi-même, le ressentiment, la culpabilité, les remords, la honte, l'orgueil, la timidité, le manque de confiance en moi et l'alcoolisme : la prison intérieure que depuis des années je m'étais construite autour de mes sentiments et que je ne trouvais plus le moyen de m'en libérer.

Je refoulais tout à l'intérieur et je m'enfonçais de plus en plus dans ce puits de l'abîme. Je ne pouvais plus remonter, je ne trouvais aucune issue. J'avais touché mon bas-fond. J'étais seul au monde. Je ne pouvais même plus me sauver moi-même. Toutes ces souffrances à l'intérieur me faisaient trop mal, je n'en pouvais plus. Il fallait que je tue ce corps qui m'avait conduit à l'échec total de ma vie. Il n'y avait aucun être humain sur terre qui pouvait m'apporter cette aide.

Très jeune, j'avais abandonné Dieu, car je croyais être capable de vivre ma vie tout seul. Je ne connaissais que le Dieu qu'on nous enseignait à l'école, qu'on nous imposait. J'attendais toujours une intervention divine, mais rien ne se passait.

Trop de peine, de souffrance et de remords avaient embarqué par-dessus pour refouler le bon petit gars, l'enfant que j'étais à 8 ou 9 ans, l'enfant innocent qui n'était pas souillé par cette vie qui n'a été qu'un enfer interminable d'hypocrisie, de mensonge, de haine et de violence.

Pour la septième fois, je me retrouvais en prison pour une assez longue période cette fois-ci. J'avais connu la prison avant, mais seulement des entrées et des sorties. Depuis quelques mois que j'étais en prison, cette fois, j'étais vraiment seul au monde et les ténèbres s'ouvraient devant moi. Il n'y avait qu'une pensée qui m'obsédait jour et nuit : celle de mettre fin à mes souffrances. J'avais pris la décision de mourir et je cherchais par quel moyen. Il ne fallait pas que je manque mon coup. J'ai pensé à pas mal de moyens : couper mes artères, la pendaison, mais je trouvais ça dégueulasse et lâche. Je voulais que ça ait l'air naturel.

Avant de faire ce dernier pas pour ma liberté, je me devais de retourner en arrière et de voir le film de ma vie. Alors j'ai vu tout le mal que j'avais fait aux autres et combien j'avais pu faire souffrir mon prochain. Je me voyais pour la première fois de ma vie telle que j'étais et j'avais été au cours de ces années. Je regrettais sincèrement et je me suis mis à pleurer comme un enfant. Il y avait tellement d'années que j'avais ressenties et je crois pas m'en rappeler d'avoir tant pleuré au cours de ma vie.

Alors j'ai demandé pardon à Dieu pour la première fois de ma vie de tout le mal que j'avais fait dans ma vie. Je ne me rappelais plus les prières que j'avais apprises étant plus jeunes à l'école, mais je me suis mis à genoux et j'ai supplié Dieu de venir me chercher. C'est alors qu'une douce chaleur m'a envahi à l'intérieur et un profond sentiment de libération a envahi tout mon être entier, en même temps qu'une douce brise parcourait ma cellule et un parfum d'air frais du matin. Je me sentais alors comme jamais je n'avais été. C'était comme si quelqu'un m'avait enlevé un fardeau sur mes épaules. Je voyais la vie, le soleil à l'extérieur très beau comme jamais je ne l'avais vu, je ressentais une très grande paix intérieure et une sérénité profonde.

Mon Dieu d'amour m'avait redonné la vie. J'ai appris à le connaître et à me connaître, par sa grâce, mes prières et méditations à connaître mes déficiences de caractère et à m'élever vers Lui dans le droit chemin.

Comme une fleur a besoin d'eau et de soleil, j'ai besoin de la nourriture spirituelle qui est Dieu et de toutes les actions que cela peut comporter pour m'épanouir complètement à la vie. J'aurai bientôt 2 ans d'âge spirituel et ces deux ans, j'ai appris plus dans la vie que j'ai pu apprendre en vingt-sept années avant de mettre Dieu dans ma vie.

La foi peut déplacer des montages et cela, je le comprends aujourd'hui, car ma foi en Dieu m'a permis de franchir cette infranchissable barrière intérieure qu'aucun être humain, y compris moi-même, n'aurait pu franchir. Aujourd'hui, je vois les autres avec les yeux du cœur et je sais que derrière chaque homme et femme il y a un petit enfant. Voilà ce qu'il nous faudra être pour entrer au paradis : un enfant doux et tendre, au cœur pur, avec tout son émerveillement devant la vie.

Un corps, ça se lave avec de l'eau et du savon. Mais le cœur, ça ne se purifie qu'avec des regrets sincères, de l'amour, du pardon, de la compréhension, de la tendresse, de l'affection et de la charité envers les autres sans jamais attendre rien en retour.

Merci mon Dieu,

Yvan

Noëls en prison – Réal

Noël 1975

Réal était un artiste-peintre qui aimait argumenter sur tous les sujets. Condamné à mort pour le meurtre d'un policier, il réquisitionnait ma présence tous les jours, dans sa cellule, même si ce n'était que pour quelques minutes. En 1976, il sera gracié et sa peine sera commuée en sentence à perpétuité. Plusieurs années plus tard, il obtiendra une libération conditionnelle dont il respectera les conditions. Il est mort d'un cancer et j'ai célébré ses funérailles.

C'est quoi Noël?

Pour moi, Réal, ça fait quoi Noël? Ça fait dix-huit Noëls que je passe en prison. Ça fait quatre Noëls que je passe dans une cellule comme un condamné à mort.

Je me pose toujours des questions sur le sens de Noël parce que je suis un homme en recherche. Mes plus beaux Noëls sont ceux de mon enfance. Aujourd'hui, on a perdu le sens de Noël parce qu'on a commercialisé Noël. Il reste que pour moi qui vit dans cette cellule depuis quatre ans, Noël a pris un tout autre sens: c'est un moment d'intériorisation, c'est un jour qui reflète une dimension transcendantale, c'est un moment qui me fait oublier même mes barreaux. C'est le temps où je pense à ceux qui souffrent plus que moi. Noël c'est tout ça pour moi.

En fait, tout mon passé n'est rien si je pense au vrai sens de Noël.

Réal

Noëls en prison – Carol

Carol sera tué par un policier au moment d'un vol de 50 $ dans une station-service. Le 13 janvier 1976, juste avant d'être libéré, il m'écrivait : « Je sors de prison non préparé. » Le Noël précédent, il avait écrit ce qui suit.

Un Noël en prison

Pour moi, un Noël en prison c'est comme pour un enfant un Noël sans cadeaux. Un Noël en prison, c'est un Noël loin du monde qu'on aime, loin des parents, loin des amis. Un Noël en prison, c'est pas un Noël comme les autres. Ça peut arriver une, deux, trois fois dans la vie d'un gars : loin de tous et proche de tous en même temps.

Carol

Noëls en prison – Robert

Noël 1975

Oublions en cette belle fête, ne serait-ce que pour aujourd'hui, nos rancœurs, nos haines et un peu, si possible, nos peines. Nous qui sommes réunis ici en ce beau jour dans la paix, dans la joie, non cette joie extérieure corporelle, mais la joie qui procure de la chaleur dans nos cœurs, la joie du Seigneur, la joie de vivre. Nous qui sommes réunis ici, nous devons penser, ne serait-ce qu'un instant, à ceux qui sont sans joie, à ceux qui souffrent, aux pauvres, aux opprimés, aux condamnés à mort de cette prison et même aux riches qui sont souvent plus pauvres que les pauvres sans biens. Pour tous ces gens comme nous, prisonniers, c'est aussi Noël. N'être pas aimé n'est qu'un malheur, mais c'est une misère que de ne pas aimer.

Je souhaite un Joyeux Noël à tous dans la joie et la paix.

Robert

Daniel

Daniel était un excellent guitariste. Il a composé de nombreux chants pour la messe des détenus. Il avait une foi profonde et était un véritable missionnaire en prison. Il avait le charisme d'attirer à la chapelle les plus durs, les «gros bras». Malade du VIH/sida, Daniel finira sa sentence dans une maison de transition où il mourra. À la messe de ses funérailles, que j'ai présidées, il m'avait demandé de lire son testament spirituel à sa famille et à ses amis. «Aimez-vous les uns les autres comme je vous ai aimés», résumait toutes ses dernières volontés.

À ma famille

Pendant que je suis encore capable d'écrire, je voudrais, par cette courte lettre, essayer de te faire comprendre ce que je ressens tout au fond de moi.

Malgré les apparences qui sont souvent trompeuses à cause de mes sautes d'humeur, je veux te dire que j'apprécie énormément tout ce que toi et Denise accomplissez dans ma vie par tous ces gestes d'amour. Que ce soit faire le lavage, faire mon lit ou venir chez moi de très bonne heure, garder Nico chez toi pendant que notre sœur vient avec toi au centre médical, ce sont là toutes les preuves d'amour que j'emmènerai avec moi lorsque je quitterai cette belle planète malgré le désordre qui règne.

Je refuse de me laisser mourir et de laisser le sida prendre le contrôle sur mon corps. Je ne veux pas mourir sans avoir eu la possibilité de donner la chance à Dieu et à son Fils de nous montrer, par mon cœur et mes gestes, qu'ils vous aiment et que je vous aime.

L'aide que vous m'apportez peut vous sembler insignifiante parfois, mais je vois bien tout ce que vous faites pour moi. Jésus a dit: «Ce que vous faites à un de ces petits, c'est à Moi que vous le faites. » J'ai besoin de Dieu et j'ai besoin de vous tous. J'espère que ma maladie vous rapprochera de plus en plus et que, lorsque cette terrible épreuve sera terminée, vous puissiez avoir de moi un témoignage vivant que Jésus m'a vraiment aimé.

J'ai été infidèle très souvent face à Dieu mais aujourd'hui, je veux lui rendre hommage en le servant dans la prière et la musique chrétienne qu'il a mis dans mon cœur pour ceux qui cherchent la lumière et une espérance nouvelle.

Jésus est vraiment vivant, j'en suis témoin. Il vous aime au point que vous allez en pleurer lorsque je m'en retournerai vers Lui.

Je regrette de ne pas m'avoir abandonné à Lui complètement, mais il n'est pas trop tard car je suis retourné vers mon Dieu.

Je vous aime Sylvie, Denise, Alain et maman pour tout ce que vous m'apportez dans ma vie.

Daniel

Il t'attend (chant)

Il y a longtemps
Depuis déjà deux mille ans
Jésus est venu
Qu'est-ce que tu attends
Pour venir à Lui maintenant ?
Il est encore temps

Regarde au fond de toi
Réalise que tu as perdu ton temps
À chercher dans ce monde
Ce qui n'était que du vent

Qu'est-ce qui te prend?
Personne ne t'a aimé autant
Il est ton salut
À chaque instant
Il tend l'oreille à tes tourments
Il est le Dieu tout-puissant

L'espoir retrouvé (chant)

Dans l'enfer de cette prison
Condamné par la société
Suis-je en train de perdre la raison?
Mais où est donc la vérité?

Je me suis souvent demandé
Pourquoi je persistais à me soûler
J'ai crié, je me suis mis à pleurer
Maudissant le jour où je suis né

C'est alors qu'une voix s'est fait entendre à moi
Me disant qu'il était possible d'être enfin libéré
De cette soif qui ne cesse de me hanter
Merci mon Dieu de m'avoir écouté

J'ai connu dans une fraternité
Le moyen d'arrêter de consommer
Une personne est venue me voir
Il m'a raconté son histoire

J'ai vécu un très grand feeling
Lorsque j'ai entendu la fin du meeting
Un ami que j'aurais perdu de vue
Me disant qu'il ne buvait plus

L'esprit de Noël

Noël, fête d'amour et d'amitié. Mon cœur se gonfle, moi le mal-aimé. Minuit va bientôt sonner. Noël, c'est en prison que je vais le passer.

Mon cœur a fait naufrage, ma conscience est remplie de nuages, mes pensées sont comme autant de cerfs-volants qui seraient dispersés à tous les vents.

Minuit a sonné. À la porte de mon cœur on a frappé. Je l'ouvre avec anxiété. Quelqu'un se tient dans l'entrée, cheveux longs et barbe foncée. Son visage dégage la bonté. De sa personne émane la pureté. On dit qu'il a été crucifié, qu'il renaît dans le cœur de tous à chaque année. J'en suis encore tout étonné. Il est simplement venu me demander si je voulais bien me laisser aimer.

Cette nuit, l'Esprit de Noël est venu me visiter.

Daniel — Noël, 1978

Jean-Luc

Jean-Luc, un artiste pris avec ses obsessions : l'alcool et la drogue. Maintenant dehors, il résiste à toute récidive, malgré ses rechutes de consommation. Après une longue thérapie, il semble aujour-d'hui bien s'en sortir. Nous nous rencontrons régulièrement.

La semaine nationale du détenu[4]

Et puis quoi encore se disent les bien-pensants
Pourquoi pas une semaine de la truite grise
Ou encore de la Cadillac rose tant qu'à y être

Sachez que tant qu'on n'a pas séjourné derrière les barreaux
On n'a jamais réellement regardé à l'intérieur de soi-même
Et procédé à l'examen de l'infinité, de l'espace intérieur
Qui ne peut être contemplé sans l'indispensable purification
L'expérience rituelle de l'incarcération

Nous ne sommes que des enfants
À qui l'on n'a pas voulu soulager les souffrances et les peines
Tous on a dû prendre les moyens à notre disposition
Pour crier notre incompréhension des choses et de la vie

Cette semaine est pour vous somme toute
Pour intérioriser vos sentiments face à nous
Vos appréhensions et votre soi-disant justice

Ce n'est pas tout d'avoir père et mère
Encore faut-il qu'ils nous inculquent
La différence entre le bien et le mal
Qu'ils nous enseignent la discipline et la bienséance
Le respect de la nature, des hommes et de Dieu

---

4. Maintenant appelée Semaine de la justice réparatrice.

Pour nous ici, il reste toujours le temps pour changer les choses
Se convertir et réapprendre la vie
Respecter la justice et se reprendre en main
Il suffit d'une bonne dose de volonté et de courage

Mais pour la génération future
Resterons-nous le nez dans nos mouchoirs
À se lamenter que les jeunes sont ceci ou sont cela
Ou essayerons-nous de leur tracer le bon chemin

Si tous ensemble nous nous donnons la main
Et marchons de concert vers la vérité
Alors peut-être demain sera un jour de liberté
Et pourrons-nous enfin connaître le bonheur

Si un seul détenu parmi vous s'en sort
Qu'il porte l'étendard, qu'il soit messager
Alors la semaine du détenu aura sa place
N'en déplaise aux bien-pensants

Jean-Luc — 20 novembre 1994

J'ai vu

J'ai vu
La misère, la crasse, la honte et la peur
La solitude, l'ignorance et le désespoir
La peine et le mal de vivre
La désillusion et l'abandon
La déchéance et l'avilissement
L'incompréhension dans la violence et la mort
Enfermé dans une cellule
Ça réduit l'espace
Mais j'ai vu aussi la beauté d'une larme
L'éclosion d'une fleur
La splendeur de l'arc-en-ciel
Dans une féerie de couleurs
De fin du monde ou de commencement

La chaleur d'une caresse
Et la délivrance dans l'éveil
Le besoin de parler se transformer en chant de gloire
La beauté de l'amnistie et la paix retrouvée
La création d'une œuvre d'art avec rien
Sinon son cœur, sa volonté et son courage
Le réconfort par l'écoute et le partage
Du peu qu'on a enfermé dans une cellule
Ça élargit l'espace
J'ai vu
Une main se tendre et une autre la saisir
Et j'ai trouvé ça tellement beau
Que j'ai remercié mon Créateur
De m'avoir ouvert le cœur

Jean-Luc — 1ᵉʳ novembre 1994

Père Jean,

Je me sens comme une petite brebis galeuse
Une brebis égarée, délaissée depuis ma plus tendre enfance
Je n'ai pas eu de guide, j'ai dû me forger à la force du poignet
Pour émerger et survivre dans ce monde pourri

Et malgré tous les soubresauts positifs
Qui ont jalonné ma saloperie de vie
La noirceur s'installe dès qu'elle en a la chance
Entre chien et loup et me fait désespérer de la race humaine
Et ce sentiment d'abandon
Ma famille, mon père qui m'appelle pour m'insulter
Mes frères et sœurs qui m'abandonnent
Les salopards qui rôdent comme des loups autour de moi
Et qui viennent et m'insultent après m'avoir dépouillé

Je hurle ma peine et ma douleur
Comme le loup solitaire que je suis
Que me reste-il? Qui peut être là pour moi?
C'est un peu toute cette misère

Cette désolation, cette incompréhension
Cette peine qui jaillit dans mes noirceurs
Et je ressens à ce moment-là qu'une solution
T'appeler à l'aide

Ce serait si facile de retourner au monde criminel
Il me côtoie, je le côtoie aussi
Même si je me tiens sur les bords du cercle infernal
Il m'attire et me repousse
Je le déteste et en même temps, pour quelques heures
Il me fait oublier pour mieux m'enfermer dans ses chaînes
Pourquoi ? J'ai aucune réponse
Sinon la foi de croire que ça va finir par passer
Le fait de savoir que même si je suis vilain
Il y a encore une étincelle d'amour
Dans le cœur d'un homme qui me veut du bien
Même dans la tourmente de ma vie
Et même toi, parfois, tu désespères

C'est un peu ça
Puis il y a d'autre chose qui me trotte dans la tête ces temps-ci
Que j'avais besoin de t'exprimer

Merci de me lire

Jean-Luc — 21 novembre 2010

Journal du père Jean – 3

Dans les années 1970, j'avais instauré une activité qui s'avéra une expérience formidable pour plusieurs. Une fois l'an, j'invitais un tout petit groupe de femmes et d'hommes «hors les murs» et des détenus à vivre une retraite de trois jours, en prison. Nous suivions l'horaire des prisonniers. Aux heures de travail, les retraitants se rencontraient à la chapelle pour divers ateliers spirituels. À l'heure de la récréation, nous devenions troubadours dans la prison, accompagnés par Marie-Claire et Richard Séguin. La nuit venue, les hommes demeuraient sur place et occupaient une cellule avec les autres détenus.

En 1973, on m'avait assigné une cellule dans l'aile C, l'aile des récidivistes. Les événements que les surveillants m'ont fait vivre m'ont permis de comprendre bien des choses.

15 juin 1973

Hier soir, vers vingt-trois heures, trois gardes sont entrés dans ma cellule. Ils me disent: «On a un ordre du chef: on doit vous descendre dans le trou.» Je sais que c'est un tour, mais à vrai dire, je ne crois pas qu'on veut me descendre. Après quelques protestations, on me certifie que je dois descendre. Un garde me met les menottes, puis on me permet d'apporter mes choses. On arrive en bas, les autres gardes me fouillent. On veut me mettre nu. Je n'accepte pas. Finalement, après avoir vérifié tout ce que j'avais, on me conduit à ma cellule, là où j'ai visité des détenus tant de fois. On défait mon lit par mesure de fouille, puis on m'enferme. Les autres détenus me demandent ce qui se passe. Je leur explique un peu. Ils sont sceptiques sans comprendre. Je me couche, il fait froid. Les draps provoquent chez moi une allergie respiratoire: ce doit être le savon qui fait ça. Le lit est très dur, en foam, mon corps touche les lames de fer de la base.

Noëls en prison – Gilbert

Noël d'un récidiviste

Encore en prison et pourtant c'est Noël. Devant quatre murs sales, une porte pleine et un châssis crasseux, je monte sur ma chaise et je regarde dehors : il neige, tout est beau. Je pense à ma famille, mes enfants, mes amis et je me dis qu'ils doivent avoir beaucoup de plaisir. Là, je demande à celui qui va naître de protéger mes deux filles. Pourtant, ici, on me dit un sans-cœur et un criminel-né.

Je descends de ce châssis crasseux pour aller m'allonger sur la paillasse de mon lit. Je ferme les yeux et je m'évade par la pensée. Je vois la ville, cette ville sale de déchets et d'injustice. Mais ma pensée va plus loin, à un Noël de sept ans, car ça fait six ans que passe dans ces prisons. Mais le plus beau, il date de plusieurs années. J'étais heureux car j'étais compris.

La porte s'ouvre : c'est le gardien. Il me dit : «OK pour le réveillon.» Je vais à la fête, je ris, je mange, mais je ne suis pas heureux. Et pourtant c'est Noël. Un enfant va naître mais pour moi, ça ne vaut rien. C'est un Noël comme d'autres et je retourne dans cette cellule aux murs sales, à la porte pleine et au châssis crasseux. Je pense à cet enfant et à mes deux filles. C'est mon Noël, notre Noël.

Gilbert – 1973

Adrien Lebeau

Adrien Lebeau est le seul détenu de tout ce livre que je n'ai pas personnellement connu. J'ai toutefois en ma possession de nombreuses lettres le concernant. Dans l'ouvrage consacré à mes années d'aumônerie à Bordeaux[5], France Paradis raconte comment ma vie a croisé celle d'Adrien :

Quand on entre dans la chapelle à Bordeaux, on peut voir sur le mur, à gauche de l'autel, une lithographie de saint Dismas. C'est celui qui se trouvait à la gauche du Christ quand il a été crucifié. C'est celui qui a dit : « Souviens-toi de moi lorsque tu seras dans ton Royaume. » Et Jésus lui a répondu : « Aujourd'hui même, tu seras au paradis avec moi ! » Pour les gars de Bordeaux, saint Dismas est important, parce qu'il est la preuve que tu peux être un bandit et que Jésus te veut quand même dans sa gang.

À côté de cette lithographie, on peut voir une mauvaise photo en noir et blanc, qui a d'abord été photocopiée puis tellement agrandie qu'on en voit distinctement le grain. Elle a été tirée du journal *Photo Police*. C'est la photo d'Adrien Lebeau, exécuté par pendaison à la prison de Bordeaux le 22 juillet 1955.

Adrien est un bandit ordinaire qui a été condamné pour complicité de meurtre parce que son partenaire de braquage a tué le gérant de la caisse populaire. Il a connu une véritable conversion dans le couloir des condamnés à mort. Un jour, il faudra publier les lettres qu'il a échangées en secret avec une dame qu'il n'a jamais vue, mais à qui son gardien de prison avait

---

5. France Paradis, *38 ans derrière les barreaux*, Montréal, Novalis, 2008.

demandé de prier «pour un prisonnier qui sera exécuté». Cette dame s'appelait Rolande Hémond. Le gardien cachait ses lettres dans sa chaussure, sachant très bien qu'il perdrait son emploi si l'on découvrait la chose. Les condamnés à mort avaient le temps de se préparer à mourir, et beaucoup ont connu une conversion remarquable. On les appelait les «voleurs de ciel», parce qu'ils mouraient dans un tel état de grâce que personne ne doutait qu'ils allaient directement au ciel. [...]

(La nuit de son exécution) Adrien Lebeau s'est avancé calmement vers le gibet en chuchotant: «Bonne Sainte Vierge, bonne Sainte Vierge, venez me chercher.» André a appris toute cette histoire dans les années soixante-dix, quand une carmélite lui dit qu'une dame voudrait bien le rencontrer. C'était Rolande Hémond. Elle voulait lui remettre les lettres et lui raconter toute l'histoire[6].

Le Ier novembre 1992, à l'occasion de la messe de la Toussaint, à la demande des détenus et des bénévoles, Adrien fut nommé patron de Bordeaux. Je prie pour lui tous les jours.

Voici donc quelques extraits de cette remarquable correspondance entre une des dernières personnes à avoir été exécutée à Bordeaux et une femme qui voulait simplement prier pour lui.

---

6. *Ibid.*, p. 72-73.

LETTRE DE ROLANDE HÉMOND,
PRÉSENTANT SA CORRESPONDANCE

Montréal, septembre 1967

En juin 1955, pour la deuxième fois de ma vie, j'avais
le redoutable privilège d'approcher un homme qui devait
payer de sa vie sa dette à la société. Quelques semaines
seulement le séparaient de son exécution. En lui faisant
parvenir une petite médaille miraculeuse, j'avais glissé ces
quelques lignes : deux jeunes filles dans le grand Montréal
prient pour vous d'une façon spéciale. Nous demandons
à Dieu de vous soutenir et d'être avec vous.

Ces quelques lignes ouvraient, sans même y songer,
une correspondance suivie qui devait se terminer la veille
de sa mort. Dieu seul pouvait dicter ces lignes que je lui
faisais parvenir presque tous les jours pendant un certain
temps puis, un peu plus espacé du fait des circonstances.

Je lui ai parlé le plus simplement du monde. Une seule
chose comptait à mes yeux : son repentir sincère, les efforts
qu'il faisait pour se rapprocher un peu plus de Dieu
chaque jour. Je lui parlais avec mon cœur et c'est avec son
cœur qu'il m'a répondu. Je savais, par son garde, Robert,
qu'il multipliait les sacrifices pour se racheter.

Voici donc cette correspondance avec un homme que
je n'avais jamais vu et que je ne devais jamais voir.

Rolande

Mademoiselle,

Je ne vous connais pas, mais il me fait bien plaisir d'apprendre que vous vous intéressez à moi, un si piètre individu aux yeux des hommes. Suis-je vraiment cet infâme personnage?

J'ai eu douze frères honnêtes et francs qui se fichaient de moi comme de leurs premières pantoufles. Je suis heureux d'avoir le Christ pour dernier juge. Lui, il sait tout, Il est Dieu et je crois en Lui. Damas, le larron qui est mort aux côtés du Christ, était un assez piètre individu et Dieu lui a pardonné ses fautes. Je crois que le même juge peut me pardonner les miennes et me recevoir dans son paradis.

Je n'ai pas peur de mourir. La seule chose qui me désole c'est la misérable raison de ma mort et la honte pour ceux qui me sont chers. Certes, je préférerais vivre, mais mon désir le plus cher est de me conformer à la volonté divine.

Je ne me permets pas de penser à la libération, mais si ce miracle se produisait, j'ai résolu de passer le reste de ma vie à faire du bien. Autrement, je me sentirais déplacé dans le monde.

Vous pouvez avoir l'assurance que je n'ai jamais tué ni envoyé tuer personne, ni envoyé qui que ce soit faire de vol à main armée non plus. Je crois être la victime d'un pauvre malheureux qui a essayé de se justifier avec des infamies de toutes sortes. Le porteur de ce billet peut vous en dire plus long.

Robert m'a remis la médaille et j'étais bien heureux de l'accepter et de voir que des âmes chrétiennes s'intéressent à moi. Je reçois la sainte communion deux ou trois fois par semaine et prie de mon mieux. Je récite un rosaire tous les jours et aussi prie pour tous mes ennemis et amis.

Le Révérend Père Louis-Marie Parent, des Oblats, qui vient me voir, m'a dit qu'il y avait trois cents jeunes filles qui priaient pour moi. Donc le nombre s'accroît puisqu'il y a trois cent deux à présent et j'en suis fier de ce nombre grandissant.

Il m'est quasi impossible de vous remercier et de croire que tant de bonnes gens s'intéressent à moi, mais ayez l'assurance de mes prières, surtout je sollicite les vôtres qui sont certainement très bonnes. Mon âme a tellement besoin de soutien et tant de prières pour la purifier.

Merci pour tout ce que vous faites pour moi.

Très respectueusement,

Adrien Lebeau

PS Excusez l'écriture, l'orthographe et le papier. Merci. Tout ceci est fait grâce à l'indulgence de mon garde. Je n'ai pas le droit d'écrire comme cela.

Je ne peux pas vous dire combien j'apprécie votre missive. C'est tellement réconfortant de vous lire. Je ne veux pas mettre votre photo qui m'a fait bien plaisir. Maintenant, je vous connais ou plutôt, je vous connaissais déjà, c'est-à-dire, croyez-moi, je vous imaginais comme telle. Il faut vous dire que j'avais demandé bien des détails à Robert. J'aimerais avoir une âme comme la vôtre. Vos yeux sont le miroir de l'âme et je vois bien une âme noble, remplie de qualités morales.

C'est sur vos prières que je compte pour me purifier et avoir une âme d'élite comme la vôtre. Seul, je ne puis rien. Avec l'aide de la très Sainte Vierge et la vôtre, et de tous les apôtres qui prient pour moi, j'ai la certitude d'y parvenir.

Mon désir le plus ardent est de faire une bonne fin. J'aime beaucoup dire mon chapelet. La dévotion à la Sainte Vierge m'est venue tout naturellement dès le début.

Je crois bien vous avoir parlé du Révérend Père Louis-Marie Parent, oblat, sinon bien c'est un bon père que j'ai connu lorsque j'étais détenu à Québec avant mon procès. C'était un très très bon père. J'aimerais que vous le connaissiez. Je lui ai parlé de vous et je lui ai montré vos charmantes lettres qui me donnent tant de force.

Permettez-moi de vous révéler ceci : parfois je me décourage et me dis : « Est-il possible que Dieu ne me repousse point ? »

Continuez de m'aider je vous en prie. J'ai les mains vides
pour ce grand départ. Je crois que je ne sais pas prier.
Si vous saviez comme cela me rend malheureux.
Demandez pour moi à la très Sainte Vierge d'écouter
mes pauvres prières. Croyez-vous qu'elle m'écoute ?
J'ai tellement été égaré chère Rolande. J'aimerais avoir la
faculté de m'exprimer comme vous le faites vous-même.
Si vous pouviez lire tout ce que je voudrais vous dire.
Excusez mon ignorance et mon incapacité à m'exprimer.

Chère Rolande, permettez-moi d'être exigeant et de vous
en demander plus. J'aimerais que vous ayez une prière
pour ma femme et mes chers petits garçons et ma chère
Louise. Je ne veux pas vous expliquer, ce serait trop long.
Et j'ai demandé à Robert de le faire pour moi.

Au sujet de friandises, Robert me dit que vous êtes cordon-
bleu en la matière. Je n'en doute pas, car vos qualités
culinaires sont assurément le reflet de vos qualités d'âme.
Mais moi, je croyais faire le meilleur sucre à la crème du
Canada. J'aimais bien en faire lorsque j'étais chez moi et
je le ferais aussi bon que j'ai pu être abominable. Si vous
croyez que j'en mérite, bien il me fait plaisir de l'accepter.
Si je l'accepte, point de sacrifice pour Dieu. Et de plus,
je vous charge de ce non-sacrifice.

Excusez l'écriture, l'orthographe, je n'ai pas votre plume,
mais je veux avoir votre cœur croyez-moi, car je suis
sincère.

Adrien

[...] Est-il possible que je n'aie plus de vos charmantes lettres? Je suis tellement heureux de vous connaître. Cela fait tant de bien de me voir supporté par une apôtre comme vous.

C'est avec regret que j'apprends votre départ pour vacances. Je ne suis pas un égoïste: je vous comprends et vous souhaite de bonnes vacances, d'heureuses vacances.

Je suis assuré que vous ne m'oublierez pas dans vos prières. Vous me dites que vous me tendez la main. Je n'en réclame pas seulement une main, mais les deux. Oui chère Rolande, j'ai confiance et j'ai bien confiance en vous et j'ai besoin de vous. Et même, je vous somme de ne pas m'abandonner. De mon côté, je fais tout mon possible pour me purifier et je crois y parvenir avec votre aide.

Chère Rolande, il m'est impossible de vous refuser ce que vous me demandez au sujet de votre prière. Je vous donne ma parole: je vais la réciter tous les jours. J'ai seulement cela à faire de prier et de penser à tous ceux qui me sont chers.

Rolande, croyez-moi, je pense à vous mille et une fois par jour. Je prends votre photo et je la regarde à tout instant. Je dis des *Ave* et je pense encore à vous, et je demande à Dieu d'avoir un cœur et une âme comme la vôtre.

Ici, j'écris à maman et je lui parle de vous, des circonstances de notre connaissance et de notre correspondance. Je lui ai dit que j'ai votre photo et lui parle de votre état d'âme. Plus que cela, je lui ai envoyé vos deux dernières lettres. Imaginez, j'ai omis de lui dire votre nom. Je me charge de cela. Aussi, j'ai copié vos deux lettres pour être capable de les relire souvent. Si ce n'est pas trop vous imposer, j'aimerais que vous écriviez à maman. Je comprends tout ce chagrin que je lui cause et je ne peux pas grand-chose pour le réparer.

Vous n'avez pas eu la chance de connaître, comme moi, que le cœur d'une maman, et surtout la mienne. Ma maman, elle est infiniment bonne et je l'aime beaucoup. Et voyez tout le chagrin, la peine, la honte que je lui fais et encore, je suis assuré qu'elle m'aime et me pardonne. Pour me pardonner, je lui ai demandé et elle m'a dit «Oui» avec un grand O.

PS Robert me dit que vous allez en vacances au Saguenay. Si oui, j'ai des gens qui sont bons comme vous et ma maman. J'aimerais bien que vous les voyiez pour moi. Je leur ai écrit depuis que je suis au quartier de la mort. Si oui, je vous donnerai des détails.

Au sujet de vous voir, j'adorerais vous parler, mais il va être très difficile car le père Yves, qui est l'aumônier de la prison, est en retraite depuis le 21 juin et pour dix jours. Le père Yves est l'abbé de la prison. Il est bien fin. Le père Louis-Marie Parent, oblat, est un père qui venait à Québec pour Pâques 1954. C'est là que je l'ai connu. C'est lui qui a de petites religieuses laïques, des Oblates comme il dit. Il me dit qu'il aimerait vous connaître. Dans le moment, il prêche des retraites à des prêtres et il termine le jour de mon exécution, le 8 juillet.

Je termine. Excusez, mes idées ne sont pas très nettes ce soir. Si nous ne nous relisons plus, adieu chère apôtre.

D'un ami qui vous aime et qui vous attend au ciel.

Adrien

[...] Vous me dites que la Sainte Vierge doit sourire en me voyant penser que je l'achale lorsque je dis mon chapelet. Je la regarde, elle est face à mon prie-Dieu. C'est moi qui lui souris car j'aime tellement dire cette prière que cela me fait rire.

Vous me dites tellement que mes prières sont efficaces que je viens de prendre une autre résolution : celle de dire un chapelet de plus tous les jours et celui-là, c'est spécialement pour vous et votre amie, mademoiselle H. D'une part, pour la Sainte Vierge, que la Sainte Vierge comble tous vos désirs et d'autre part, pour que mademoiselle H. obtienne la position ou la situation qu'elle désire, qu'elle sollicite.

La médaille que j'ai de vous, j'en possède une pareille qui me vient de ma mère. Je les apprécie bien, mais l'écriture est trop fine à mes yeux. Je ne peux pas la lire. Si vous vouliez être assez bonne pour me l'écrire.

Le père dont vous me parliez, de quelle congrégation est-il ? Ça me ferait bien plaisir de le voir si la chose lui est possible sans trop se déranger. Je ne crois pas qu'il y ait des formalités spéciales pour les religieux, mais qu'il ne dise pas que je l'ai fait demander, car il peut vérifier sur la liste de mes écritures. Il peut me dire que c'est de la fraude, mais il y une foule de choses qui peut attester sa visite. Je ne voudrais pas causer de trouble à personne.

Les sacrifices me font plaisir et j'ai une grande confiance en vos conseils. J'ai lu le livre de la petite Bernadette lorsque j'étais à Québec et je crois que c'est là que j'ai eu ce grand amour pour mon chapelet et la très Sainte Vierge.

Ce soir, c'est très mal écrit. Il est très tard, cinq heures du matin. Un garde est venu jaser avec Robert et moi et il ne partait plus. De plus, il est de nationalité étrangère. Nous ne comprenions à peu près rien dans son jargon. Cela ne faisait rien. J'ai offert de l'écouter. C'est un sacrifice de plus.

Vous, je vous impose le mien, mon jargon et vous l'acceptez puisque vous me répondez.

Merci pour tout ce que vous faites pour moi.

Adrien

LETTRE D'ADRIEN LEBEAU
À SA FAMILLE

Montréal, le 6 juin 1955

Chers beaux-frères et belles-sœurs,

J'espère que ce pli vous trouvera bien. Je suis bien. J'ai entendu parler de toi à la radio au programme d'Émile Genest et là, je n'ai pu tenir le coup. Je vous écris quelques mots, car je pense à vous tous tous les jours.

Donne le bonjour à tout le monde pour moi. Embrasse Simone et Louise pour moi et dis-lui que si j'avais le droit à plus de papier, j'aimerais lui écrire une missive très explicite.

Raymond, je ne suis peut-être jamais bien compris avec cette chère Simone, mais je crois que la cause principale est de ma faute, car je ne me suis jamais expliqué avec elle. C'était de l'amour-propre, car je l'ai toujours aimée comme au premier jour et elle sera toujours ma femme. Quoi que l'on dise ou que l'on fasse, elle sera toujours à mes yeux l'orchidée de toujours. Dis-lui de s'efforcer de me comprendre et surtout de me pardonner tout le mal que je lui ai causé. J'aimerais bien te voir ainsi que Colette, Simone, Louise et tous les autres.

J'ai entendu dire qu'au sujet des dernières arrestations dans le Granby, il se dit que c'est parce que j'ai parlé. Mais tu peux être rassuré que je n'ai rien dit à qui que ce soit, mais j'ai eu la visite des gens qui voulaient me faire parler et je n'ai rien dit. Et ces gens sont les mêmes qui ont vu Simone lors de mon séjour à l'hôpital de Granby.

Je suis bien préparé pour ce grand départ. Je reçois la sainte communion deux ou trois fois par semaine. J'ai eu douze jurés honnêtes et francs qui se fichent de moi comme de leurs premières pantoufles. Mais il y a plus que cela: je crois que lorsque je vais mourir, c'est là que je vais commencer à vivre, car la vraie vie n'est pas terrestre et je suis heureux d'avoir le Christ pour dernier juge. Lui il sait tout. Il est Dieu et je crois en Lui. Je n'ai pas peur de mourir. La seule chose qui me désole c'est la misérable raison de ma mort et la honte pour ceux qui me sont chers car somme toute, tu connais ma vie. Elle n'a pas toujours été exemplaire, mais je n'ai jamais tué, ni envoyé personne tuer, ni faire de hold-up et je crois que tu me connais.

Demande à Simone, Colette, Louise et les autres de prier pour moi. Excusez la disposition, l'écriture, je n'ai pas le droit à plus de papier et pas même à une plume.

Adieu chers beaux-frères et belles-sœurs, au revoir si Dieu le veut.

Veuillez me croire,

Adrien

Montréal, le 30 juin 1955

Révérend Père Parent,

J'ai eu de vos nouvelles par l'aumônier temporaire, le père Jean-Marie. Le père Yves est en retraite. Il me fait bien de la peine de ne plus vous revoir. Je vis par la pensée et j'ai la certitude que vous allez m'assister jusqu'à la toute dernière minute. À ce moment, le bon père Yves sera de retour. Il est gentil pour moi. J'ai l'assurance qu'il va lui-même me livrer à la très Sainte Vierge et de ses mains de prêtre, la très Sainte Vierge ne pourra pas me repousser.

Père Parent, je vous dois ma conversion. Le premier apôtre à qui je dois beaucoup, c'est monsieur l'assistant-gouverneur, Normand Robitaille, de la prison de Québec. J'aurais bien aimé lui écrire. Ici c'est impossible de le faire parce que je n'en ai pas le droit. Je vous demande de bien vouloir lui transmettre, lui crier toute ma reconnaissance. Je n'ai pas de mots assez grands pour l'en remercier.

Oui père Parent, vous avez fait d'une sentence de mort une sentence de vie, un décret de reconnaissance spirituelle. Comment pourrais-je vous remercier ? Le plus beau cadeau que je crois pouvoir vous offrir, c'est l'âme que vous avez lavée et enfin que vous avez vue renaître de ses orgies et de ses erreurs que je croyais être le bonheur. Oh ! Que j'étais ignorant et imbécile de me leurrer avec si peu de choses ! Si vous saviez comme je suis bien plus heureux présentement.

Père Parent, j'aurais aimé vous revoir pour vous dire combien je suis heureux de vous avoir connu. S'il m'est possible d'avoir cette joie, c'est encore cela de plus dans ma balance, car elle ne doit pas être pesante ma balance. Si j'étais seul à y mettre du poids!

Voyez comme je suis chanceux d'avoir vos petites Oblates et nombre d'autres qui prient pour moi. [...].

Je compte donc sur vos prêtres retraitants qui se joindront au père Yves et à vous-même pour me livrer à la très Sainte Vierge afin que le Seigneur ne me repousse point.

Oui père Parent, j'ai bien confiance en la bonne Mère céleste. Je vis des heures heureuses lorsque je prie dans ma cellule. Je récite quatre chapelets par jour, en plus, le chapelet au Sacré-Cœur. J'ai terminé une neuvaine au Sacré-Cœur et là, j'en fais une au Précieux-Sang de Notre-Seigneur.

Le bon père Yves a tout arrangé pour que j'aie la communion trois fois la semaine. La prière que j'aime le plus à réciter, c'est mon chapelet. Voyez comme j'ai du bonheur, que je suis chanceux. Oui, tout cela c'est à vous que je le dois. Quelle dette impayable! Mais au paradis, je vous le rendrai. Vous êtes bon marchand : faites-moi crédit. Croyez-moi, je suis sincère.

Adieu père.

D'un ami qui vous aime bien et qui vous reverra au paradis.

Adieu.

Adrien

PS Essayez d'expliquer à maman et à mes chers petits garçons tous les privilèges que j'ai eus et aussi essayez de les consoler.

PS Je reçois à l'instant même une lettre de mon avocat et je vous la transmets. Certes, j'aimerais beaucoup avoir une commutation de peine, mais soyez assuré que je me conforme à la volonté de Dieu. Je l'accepte avec résignation. Si j'allais au pénitencier, je ne veux faire que de l'apostolat le reste de ma vie. Si j'ai la peine capitale, c'est pour un monde meilleur que je partirai.

Adrien

DERNIÈRE LETTRE D'ADRIEN LEBEAU À ROLANDE HÉMOND

Le 21 juillet 1955

Chère Rolande,

Je n'ai pas le temps de vous répondre.

Soyez assurée que j'ai une entière confiance en vous. Je crois vos paroles comme à celles de ma maman et je vous aime comme j'aime toute ma belle-famille.

Merci d'avoir vu maman T.

Votre photo, je me suis permis de la donner à ma mère.

Adieu chère Rolande. Je vous embrasse très fort et garde votre place au ciel.

Adrien

DEUX HEURES PLUS TARD, ADRIEN LEBEAU ÉTAIT EXÉCUTÉ.

Montréal, le 22 juillet 1955

Mademoiselle,

Je ne saurais trop vous remercier de l'aide précieuse que vous avez apportée à notre ami Adrien Lebeau. Le Seigneur et la Vierge, que vous avez su si bien lui présenter dans vos lettres édifiantes, ont réalisé en lui cette transformation extraordinaire que seule la grâce de Dieu peut accomplir.

J'ai assisté Adrien jusqu'au dernier moment, moment qu'il voyait venir avec grande paix et bonheur. La ferveur qu'il apportait à ses prières est un gage assuré de son bonheur présent et éternel.

Vous lui aviez ouvert votre cœur d'apôtre et son cœur a su y puiser les consolations et les aspirations à la vision de Dieu à ce moment si important.

Sa dévotion à la Sainte Vierge fut toujours profonde et confiante et ses dernières paroles en sont un témoignage de sa sincérité.

Pendant les quelques secondes écoulées entre la fin de la messe et l'exécution, il ne cessait de répéter: «Bonne Sainte Vierge, venez me chercher. Bonne Sainte Vierge, venez.» Et il est mort en saint, avec Jésus dans son cœur et Marie sur ses lèvres. Quel départ édifiant Mademoiselle!

Comptez sur sa reconnaissance au ciel. Comptez aussi sur les grâces infinies du Seigneur qui vous a beaucoup aimée dans ce rôle qu'il vous avait confié.

Puissions-nous, à l'avenir, recourir à votre apostolat.

Père Yves, aumônier
Prison de Bordeaux

Chicoutimi, le 26 juillet 1955

Révérend Père Yves, monsieur l'aumônier

C'est avec reconnaissance que je vous écris en ce moment. Rien ne pouvait me toucher davantage que cette promptitude à venir me donner des nouvelles.

Votre lettre, Révérend Père, m'a profondément émue. Je l'ai lue et relue. Est-il nécessaire d'ajouter qu'elle m'a laissée songeuse?

Au début de juin, j'ignorais jusqu'à l'existence de monsieur Lebeau et pourtant, je devais lui parler comme jamais je ne l'ai fait pour personne. Les circonstances étaient exceptionnelles j'en conviens. Malgré tout, comment expliquer cette confiance mutuelle qui devait tellement nous rapprocher?

Au moment où je suis entrée dans sa vie, il était déjà bien près de Dieu. Il avait correspondu à la grâce avec une fidélité extraordinaire. Chacune de ses lettres révélait un peu plus la beauté de son âme. Mon rôle a donc été bien secondaire. Comment refuser le peu d'encouragement à un homme dont les jours sont comptés? Comment ne pas lui parler, lui donner cette joie, de lui parler avec douceur alors que, depuis des mois et des mois, il subit un véritable martyre moral?

Non vraiment monsieur l'aumônier, je ne pouvais refuser ce rôle alors que tout le facilitait. Dès le début j'ai réalisé, grâce à Dieu, une difficulté bien subtile mais réelle: il ne fallait pas que monsieur Lebeau s'attache à moi d'une façon disons trop humaine. Il faut si peu à quelqu'un privé de tout pour idéaliser quelqu'un qui s'intéresse à lui.

Monsieur Lebeau a triomphé de cet obstacle. À ses yeux, je suis restée jusqu'à la fin cette petite sœur adoptive comme il m'appelait si gentiment.

De mon côté, j'ai bénéficié d'une illusion. Je croyais sincèrement que mes lettres parvenaient directement à monsieur Lebeau. Robert m'avait parlé de vous un jour. Distraite un peu à ce moment-là, je n'avais pas fait aucun rapprochement avec ce qu'il me disait de vous et ma correspondance. Une véritable permission de Dieu, je le réalise aujourd'hui, que cette distraction. Je sais qu'il m'aurait été beaucoup plus difficile d'écrire aussi librement à monsieur Lebeau sachant que mes lettres étaient lues par un autre.

Je vous remercie de tout cœur, Révérend Père, des détails si consolants que vous avez bien voulu me donner sur les derniers instants de monsieur Lebeau. Avec ma sœur, je suis restée en prière jusque vers 1 h 00 ce soir-là. J'ai exaucé un désir qu'il m'a exprimé jusque dans sa dernière lettre : écrire à sa mère. Comme c'était difficile ! Je ne pouvais que m'incliner avec respect devant une mère qui porte une si lourde croix et je demandais à la Sainte Vierge de panser une blessure aussi profonde.

Monsieur l'aumônier, rien ne m'a préparée à côtoyer des souffrances aussi exceptionnelles. Je n'ai que ma bonne volonté à offrir à Dieu. Est-ce suffisant ? Oh ! Oui !

J'espère que monsieur Lebeau se souviendra de moi au ciel. Si vous saviez comme je peux avoir besoin de cette protection que vous me promettez en son nom.

Dans sa dernière lettre, monsieur Lebeau a exprimé un désir en plus d'écrire à sa mère. J'hésite un peu devant cette difficulté. Peut-être pourriez-vous me conseiller? En certaines circonstances, la bonne volonté ne suffit pas. Veuillez me croire, Révérend Père.

Votre très obligée et très reconnaissante R.H.

COMMENTAIRE DE ROLANDE HÉMOND

VOICI LA PRIÈRE QUE JE LUI AVAIS FAIT PARVENIR ET QU'IL DEVAIT RÉCITER SI SOUVENT.

Hommage au Père éternel

Sainteté infinie de Dieu, purifiez-moi. Sagesse infinie de Dieu, éclairez-moi. Immensité infinie de Dieu, possédez-moi. Providence infinie de Dieu, conduisez-moi. Puissance infinie de Dieu, soutenez-moi. Bonté infinie de Dieu, attirez-moi. Patience infinie de Dieu, supportez-moi. Miséricorde infinie de Dieu, ayez pitié de moi. Justice infinie de Dieu, épargnez-moi. Beauté ineffable de Dieu, réjouissez-moi. Éternité bienheureuse de Dieu, recevez-moi. Immutabilité de Dieu, en vous fixez-moi. Dieu infini en toutes vos perfections adorables, premier principe, fin dernière de tout, soyez-moi tout en tout et pour toujours.

Ainsi soit-il.

Chère Madame,

Voici les dispositions de votre fils avant sa mort.
Montrez cette lettre-là à qui vous voudrez, à qui vous
le désirez et soyez fière de votre garçon qui a répondu à
une vocation un peu particulière, du moins à la dernière
année de son existence.

Plusieurs vivent des années avec apparemment une vie
très honnête et n'auront pas le couronnement éternel de
votre fils. J'espère et je suis convaincu que vous êtes fière
des derniers instants si bien accomplis. Et si vous pouviez
même attraper le journal *Allô Police* relatant la mort
d'Adrien, vous verriez avec quelle énergie il s'est avancé
jusqu'à la potence, regardant le crucifix, renouvelant le
sacrifice de sa vie.

Permettez-moi de vous bénir et dans cette intervention de
ma part, n'y voyez que la pensée du bon Dieu qui s'apitoie
sur l'âme des plus méprisables, apparemment pour en faire
des âmes de saints qui couronneront au ciel éternellement.

Dans toute la liste des noms qu'il m'a envoyée, il félicite
particulièrement Gabriel, son frère, de la bonté qu'il n'a
cessé de manifester à son égard.

Adrien, ne voulant pas troubler la paix de sa petite sœur
qui est religieuse, ne voulait pas que nous lui envoyions
directement une lettre. Cependant, si vous le jugez à
propos, faites-le pour la consolation de cette petite âme
consacrée qui vit probablement jour et nuit pour obtenir
pour son frère des grâces d'un départ merveilleux.

Louis-Marie Parent, Oblat de Marie Immaculée

« Tout est grâce. »

Sainte Thérèse de Lisieux